KB096582

나의 정신과 투병일지

정원

https://brunch.co.kr/@envywolf

무질서하고, 초라하고, 유익하지 않은 글을 쓰고 싶습니다.

교정/교열/윤문은 Chat GPT 4o의 도움을 받았습니다.

발 행 | 2024-06-07

저 자 | 정원

펴낸이 | 한건희

펴낸곳 | 주식회사 부크크

출판사등록 | 2014.07.15(제2014-16호)

주 소 | 서울 금천구 가산디지털1로 119, A동 305호

전 화 | 1670 - 8316

이메일 | info@bookk.co.kr

ISBN | 979-11-410-8828-6

본 책은 브런치 POD 출판물입니다.

https://brunch.co.kr

www.bookk.co.kr

나의
정신과
투병일지

정원 지음

b

들어가기 전에

이 글을 작성할 즈음, 우울증 커뮤니티와 관련된 뉴스를 접하게 되었습니다. 뉴스의 주요 내용은 A 양과 가해자 B 씨의 이야기였지만, 저는 SNS 라이브 방송 중에 생을 마감한 C 양의 사연에 눈길이 머물렀습니다. 그 순간, 저는 마음속으로 그녀에게 편지를 쓰기 시작했습니다.

안녕 못할 C에게.

가족도 도움이 안 되고 학교도 도움이 안 되었습니까? 하지만 당신은 살아있다는 것을 알리고 싶어서 방송을 하셨군요. 당신의 그 우울함을 몇 십 년 끌고 갈 자신이 없었겠지요. 감히 이해한다고 말할 순 없지만, 저도 비슷한 삶을 살고 있습니다. 그저 그렇게 말해봅니다. 저 또한 매일 약을 먹으며 계속 살아야 하나 고민하고 있습니다.

가해자가 한 명일까요? 당신의 우울을 알면서도 방조한 사람들이 그 한 명일까요? 정말로요? 아니라 생각합니다. 기록용으로 쓰는 짧은 글자만 담아내는 SNS에 못다 한 이야기를 하자면, 지금 같이 살고 있는 제 가족들도 제 우울을 이해하지 못합니다. 친구들은 더욱 당연하지요. 사실, 그 누구도 누군가의 우울을 이해하지 못할 수 있습니다. 당신은 어린 나이라 더 그랬겠지요. 무시당했겠지요. 네.

살아오면서 이제는 이해를 바라지 않는 나이까지 왔습니다. 그저 나를 있는 그대로 받아들여 주는 사람들과 함께 늙어가고 싶습니다. 하지만 당신은, 그래. 저도 이 병에 대해 늙어가는 것에 대한 생각을 하다 보면 아득

한 미래에 눈앞이 깜깜해지곤 합니다. 훨씬 어린 선생님께서는 어땠을까요.

사후세계란 게 있을까요? 없었으면 좋겠습니다. 환생이란 게 있을까요? 사실, 그것도 없었으면 좋겠습니다. 그렇게 끝을 맺음으로써 행복했노라. 그렇게 인생은 선택으로 끝났노라. '선택'이라는 단어를 쓰면 안 된다고들 합니다. 그런데 죽음마저 선생님의 선택이 아니라면 너무 슬프잖습니까. 그래서 감히 이 단어를 써봅니다. 죄송합니다.

명복이란 죽은 뒤에 받는 복이라고 하지요. 그리함으로써 행복해졌기를 감히 바랍니다. 이런 말을 하면 욕먹을지도 모릅니다. 하지만 명복을 빕니다. 사느라 고생하셨습니다.

제가 남기는 글이 누군가에게 도움이 될까요? 우리는 아픈 뇌를 가지고 태어났습니다. 혹은 병든 마음을 안고 살았습니다. 그래서 고생했노라. 이것이 병이라는 걸 열심히 알려드릴게요. 당신이 나약해서가 아니라 그냥 아파서였노라. 사느라 그들은 고생했고, 고생했노라고.

우리가 대단해서 알리는 게 아니라, 그냥 남들보다 피곤하게 살아가는 사람들이 있음을 알리고 싶습니다.

첫 번째 내원

누군가에게 도움이 될지 모르겠습니다. 제 정신과 내원, 그 과정에서 벌이는 사투를 기록합니다. 제가 필력이 깊고, 많은 어휘력이 있었다면 이 글이 좌절과 고통을 담은 제우스의 상자 속 온갖 더러운 것들처럼 보였을 텐데, 다행히도 선생님께서 무심히 읽을 수 있을 정도의 내용들이랍니다. 그냥 단순하게 어떤 사람이 고통받고 있었고, 현재는 잘 이겨내고 있고, 앞으로도 잘 살아낼 거라 믿어 의심치 말아 주십시오. 마음에 몸살감기가 들었습니다. 몸살감기로 표현해도 될까요? 교통사고라고 가끔 표현하기도 합니다. 저는 제 자신을 해치고 싶은 충동이 들었습니다. 이제는 돌려 말하기도 귀찮군요, 끝도 없이 자살하고 싶어서 배우자와 상의해서 병원을 갔습니다. 사실 상의라기보다는 비명에 가까웠습니다. 실제로 비명도 질러서 동네에서 소문이 나기도 했습니다. 이유 없이 답답한 마음에 창문을 열고 소리를 질러댔습니다. 배우자는 저로 인해 우울증이 걸렸습니다.

우리는 각자 내원해서 긴 설문지를 작성하고 테스트를 했습니다. 결과는 예상을 엇나갔습니다. 제 스트레스 지수는 다른 사람보다 낮았습니다. 배우자는 높게 나왔습니다. 저희 기준엔 이것이 반전이었습니다. 저는 꽤나 예민한 성격이라 생각했는데 검사 결과가 너무 신기했습니다. 의사분께서 알려주시기를, 스트레스는 남들보다 작게 받았지만 대응능력이 현저히 낮다고 말씀해 주셨습니다. 남들은 스트레스를 받았을 때 해소가 되는데 제 뇌는 작은 스트레스도 견디지 못하는 것이라 하셨습니다. 우습게도 그게 '저는 뒤끝이 긴-사람일 뿐이지.'라고 생각했었습니다.

어렸을 때 가정사 등 환경으로 인해 망상장애 증세가 있었습니다. 아버지는 어머니를 해치려 한 죄로 교도소에 수감되었고, 살인미수로 인해 평생 동안 가족 근처에 접근금지 처분을 받았습니다. 어머니는 저에게 아동학대를 했지만, 본인은 그것을 부인하십니다. 어머니는 그 시대에는 다 그렇게 키웠다며 언제적 이야기를 하냐고, 왜 말을 그렇게 하느냐고 하십니다. 형제들도 저보고 편하게 자랐다고 말합니다.

하지만 학대에 정도라는 게 있습니까? '너 정도면'이라는 말은 웃기기만 합니다. 모두가 평범하게 자라면 안 되는 걸까요? 그런 환경에서 자라다 보니 무슨 일이 일어나면 모든 것이 제 탓인 것 같고, 다른 사람들이 저를 싫어하는 것 같다는 생각이 습관이 되었습니다. 저는 그것을 단순한 습관이라고 생각했지만, 그게 정신병일 줄은 몰랐습니다. 누가 알았겠습니까?

망상장애라는 단어가 어색해서 되도록 '망상장애'라고 적으려 노력합니다. 그런데 적고 나서 자신을 돌아보면 피해망상일 때도 많아서 이래서 '피해망상'이라고 부르는구나 싶기도 합니다.

저는 20대 때부터 뉴스에서 부작용에 대해 수없이 떠들어도 무시하고 식욕억제제를 끊임없이 먹고 살아왔습니다. 의사 선생님께서 식욕억제제의 부작용이 망상을 극대화할 수 있어 저의 공격성이 증가할 수 있다고 하셨습니다. 먹던 약은 바로 폐기하기로 약속했습니다. 첫 번째 내원 이후로는 식욕억제제의 유혹에서 벗어나기 위해 먹고 싶은 것은 그냥 먹었습니다. 임신하고 살이 100kg까지 쪘었는데, 약을 먹어서 90kg까지 뺐었습니다.

이제는 어떻게 될지 모르겠습니다. 선생님이 곁에 계셨다면 제 꼴이 이 모양은 아니었을지도 모릅니다.

추가로, 유전적 영향일 가능성이 높은데 감정 기복이 심한 것이 우리가 흔히 말하는 조울증, 즉 양극성 장애일 수 있어서 약을 투약하여 공격성 반응을 지켜봐야 할 것 같다고 하셨습니다. 아버지는 조현병이셨고, 어머니는 저와 증상이 거울처럼 닮았습니다. 아버지는 이미 이 세상에 계시지 않고, 어머니는 이제 치매가 시작되는 것 같습니다. 결국 저만 치료하면 된다는 이야기입니다.

저는 분노가 가장 두렵습니다. 제 공격성은 타인이 아닌 저 자신을 향한 것입니다. 몇 번이고 창문을 열어 뛰어내리려 했고, 남편은 그걸 붙잡았습니다. 나를 죽지 못하게 하는 남편에게 적개심이 느껴졌습니다. 왜 못 죽게 하느냐고 악을 썼습니다.

분노에 휩싸이면 눈에 보이는 게 없어집니다. 그 끔찍한 감정이 너무 싫었습니다. 저는 요즘도 가끔 제 자신을 해치고 싶습니다. 지금은 치료와 훈련을 받아 제어해 나가고 있습니다. 이렇게 작성하니 흔히 말하는 나쁜 말로 '미친 사람' 같지만 사회생활도 멀쩡히 해내고 있습니다. 신기하지 않습니까?

주변 사람들은 제가 '투병 중'이라는 사실을 공개한 후, 모두 믿을 수 없다는 눈빛을 보였습니다. 위로를 건네지도, 무슨 말을 해야 할지도 모르는 정적이 항상 이어졌습니다. 저는 그런 상황에서 무조건 모든 것을 털어놓았습니다.

저는 투병 중입니다.

제가 갑자기 죽는다면, 조울증과 망상장애, 그리고 공황장애와의 싸움에서 지고 말았다고 생각해 주십시오.

두 번째 내원

이때가 가장 심란했습니다. 제가 우울증인 건 확실해졌고, 조울증이 의심되는 데다가 망상장애라니. 여태껏 잘 살아온 것 같은데 그냥 살면 안 되나? 고민했습니다. 하필 비도 오고 가야 하나 말아야 하나 엄청나게 고민했던 것 같습니다. 요즘은 괜찮은데, '안 가면 안 되나' 싶은 생각이 미친 듯이 반복됐습니다. 변명거리를 만들었습니다. 첫 번째 내원할 때 병원에서 박완서의 『그 남자네 집』을 보았습니다. 그 책이나 다시 읽으러 간다 셈 치고 다녀왔습니다.

생각해 보니 어디 가서 말할 것도 아니어서 말씀드리자면, 정신과에 갈 때마다 진료비가 오만 원씩 나올까 봐 묘하게 긴장했습니다. 건강하지도 않은 정신이, 나약한 정신이 돈을 줄줄 새게 만들다니. 정말 나란 인간은 왜 이럴까. 돈 몇 푼에 그런 생각을 했습니다. 하지만 초진비만 오만 원 넘었고, 두 번째 내원할 때부터는 만육천 원가량이었습니다.

제가 사는 지역에서는 2023년도 기준으로 성인 ADHD 검사는 기본 15만 원가량이고, 정밀검사는 20만 원 정도 합니다. 그리고 생각보다 성인 ADHD는 흔하지 않다고 합니다. 인터넷이 잘못된 정보를 퍼뜨린 것 같습니다. 저도 원래는 ADHD를 의심했었지만, 애초에 아니었습니다.

첫 내원과 달라진 점은 시탈로정이 5mg에서 10mg으로 늘어난 것입니다. 일주일 만에 효과가 나타난 건지 심리효과인 건지, 요즘 상태가 매우 좋다고 여쭤보니 신경안정제 같은 경우 잘 들을 수 있다고 하셨습니다.

다른 증상으로는 자도 자도 졸린다고 했습니다. 주말 아르바이트하는 날은 로라반정을 반으로 쪼개어 먹으라고 하셨습니다. 이때까지는 주말 아르바이트를 하고 있었는데, 지금은 평일에 일하고 남들 놀 때 쉽니다. 다시 본래 이야기로 돌아가자면, 그 당시 의사분께서 저에게 말씀하셨습니다.

"아직도 남들이 나를 싫어할 거라 생각하나요?"

병원 다녀온 후 그런 증상이 있다는 걸 알고 나서는 '상대방의 의도는 그게 아니야'라고 생각하자 웃으셨습니다. 당시에는 나아지고 있다고 생각했지만, 그 말을 한다는 것 자체가 증상이 있다는 걸 의미했습니다. 그런 측면에서 시탈로정이 두 배가 된 것이 아닐까 추측해 봅니다. 이것이 모순에 해당하는 걸까요, 역설에 해당하는 걸까요? 결국 아직 망상이 있다는 것이니까요.

추가로, 지난번 약 복용 후 주말에는 잠이 깨면 다시 잠들지 못했다고 말씀드렸습니다. 그때는 아직 불안 증세가 남아 있어서 그렇다고 하셨습니다. 그 후로는 푹 자서 좋았습니다. 원래 생필품 주문 목록에 커피가 빠지지 않았는데, 선생님이 커피는 잠깐 각성효과가 있을 뿐 더 졸리게 만든다고 해서 주문하지 않았습니다.

현재 이 글을 작성하는 시점에서는 커피를 종종 마시긴 하지만, 오전에는 마시지 않고 오후에 한 잔만 마십니다. 아니면 600ml 보틀에 작은 포 하나를 넣어서 커피물을 마십니다. 기분만 내는 것이죠. 운동을 해야 하다 보니 그 정도가 적당한 것 같습니다. 마시고 세수 한 번 할 힘만 생겨도, 이불에서 일어날 힘만 있다면 좋겠습니다. 사람들은 우울하다고 하면 밖으로 나가라고 하지만, 우울감과 우울증은 다르잖아요. 이불에서 애초에 일어나지 못하는 것이 우울증입니다. 그 한 줌의 힘이 없어서 사람들은 죽어갑니다.

약물 복용 후로 진행 상황을 메모해 둔 변화는 자고 일어나서 짜증이 줄었다거나, 상대방 말을 곧이곧대로 듣기 시작했다는 것입니다. 뜬금없지만 고소공포증도 사라졌습니다.

그전에는 아침마다 불쾌하게 일어났는데, 안정제 등의 영향인지 기분 좋게 일어났습니다. 상대방의 말을 곧이곧대로 듣기 시작했다는 부분은, 뭐라 말해야 할까요. 그전까지는 왜곡해서 들었기 때문입니다. 무슨 말을 해도 저 사람은 나를 싫어할 거라는 생각이 지배적이었습니다. 약을 먹으면서 안정된다면, 그것만으로도 괜찮지 않나 하는 생각이 두 번째 내원 후의 생각이었습니다.

부끄러운 이야기지만, 망상장애 때문인지 아니면 제가 정신질환이 있다는 사실이 도저히 믿기지 않아서인지, '저 의사 선생님이 돈벌이를 위해서 나에게 없는 질병을 만들어내는 거 아닌가?'까지 고민했었습니다. 하지만 약을 먹고 난 뒤 몸과 정신에 평화가 찾아왔습니다. 완전히 약에 의존한 것은 아니지만, 천천히 좋아지고 있기에 기록을 남깁니다.

세 번째 내원

제 몸만 챙길 수 있는 인생이 아닙니다. 정말 정신없던 내원이었습니다. 겨울이었고, 아이를 처음으로 데리고 간 날이었습니다. 진눈깨비가 새하얗게 쏟아져 얼굴을 때리며 녹았다가, 얼었다가를 반복하며 피부를 괴롭혔고, 아이는 열이 40도까지 올랐습니다. 아이를 눈에 맞지 않게 꽁꽁 싸매고, 저는 장갑 없이 언 손을 녹여가며 병원으로 갔습니다.

저는 평범한 집안인데, 그날은 왜 이리도 몸도 마음도 가난하게 느껴졌는지 모르겠습니다. 정신과 예약시간은 다 되어 갔지만, 아가 아픈 게 우선이었습니다. 이비인후과에 먼저 들러 짜증 내며 우는 아기를 안고 토닥이며 몇 번이고 미안하다고 사과했습니다. 겨우 정신과에 도착했더니 너무 늦었습니다. 간호사분들께 늦어서 죄송하다며 여러 번 사과하고, 다음 일정 잡고 재방문할지 물으니 대기해도 될 것 같다고 해주셨습니다. 죄송하면서도 다행스러웠습니다.

기다리는 동안 열이 나서 칭얼거리는 아기를 달래다가 진료실에 들어갔습니다. 아이는 자기가 진료를 받는 줄 알고 화가 잔뜩 났습니다. "안심해, 엄마가 보는 거야, 진료는 엄마가 보는 거야"라고 반복하며 진정시켰습니다. 의사분은 침착하게 아이에게 사탕을 쥐어주시며 말씀하셨습니다.

"그럼 빠르게 상담해 볼까요?"

최근 상태는 어땠는지 물어보셨습니다. 지난번에 메모해 둔 걸 읽어드렸습니다. 그중에서 내원 이후로 20년 넘은 고소공포증이 없어진 게 너무 신기해서 선생님께 들뜬 마음으로 이야기했습니다. 의사분은 어느 정도로 심했냐고 물어보셨습니다.

"오래 달고 살아서 증상이라고 생각도 못 했는데, 에스컬레이터나 높은 계단, 육교를 못 올라가요. 식은땀이 줄줄 나고, 어떨 때는 울기도 했어요."

생활에 지장을 줄 정도 아니냐고 하셨습니다. 네, 사실 그렇습니다. 너무 오래되어 잊고 살았는데, 요즘 약을 먹다가 무의식 중에 에스컬레이터랑 투명 엘리베이터를 탔더라고 말씀드렸습니다. 그게 뭐라고 신나서 떠들었습니다. 알고 보니 고소공포증 치료 약과 제가 먹는 약이 동일해서 같이 치료될 수 있다고 하셨습니다. 약을 끊으면 돌아오는 건 아닌가요? 하고 물으니, 한 번 안전하다고 인식하고 나면 괜찮아질 거라고 하셨습니다. 아, 인간이란 얼마나 간사합니까? 대신 가끔 불안이 발작처럼 찾아와서 무서울 때가 있을 텐데, '또 시작이네, 망했습니다' 하는 태도보다는 심호흡을 크게 하고 '괜찮아, 괜찮아' 하는 게 큰 도움이 될 거라고 하셨습니다.

진료가 끝나고 약을 기다리는 동안 아기가 열이 올라서 아픈지 또 울기 시작했습니다. 안고 토닥이고, 멀쩡해진 아이를 어린이집에 보내고, 일을 구하기 위해 이력서에 쓸 여권사진을 찍으러 갔습니다. 사진은 정말 엉망이었습니다. 턱을 너무 당긴 것 아니냐고 물어보셨습니다. 사진기사님이 그때 당시 계속 당기라고 해서 저는 당긴 것이었습니다. 짜증이 났지만, 화를 내는 것은 좋지 않습니다.

"그냥 제가 이렇게 생긴 거예요." 하고 웃으며 나왔습니다. 갑자기 고민이 들었습니다. 어떻게 살아야 하나? 저는 이제 화를 내면 정신병이 있으니 예민하다는 말을 들어야 합니다. 그냥 차라리 조금 멍청하고 순한 사람 취급을 받아야 합니다. 그래야 가족에게 피해를 끼치지 않을 수 있습니다. 그렇게 생각하고 살기로 했습니다. 그럼 '정신질환을 공개하지 않으면 어떠냐?'라고 묻는다면 '왜 그래야 하느냐?'라고 대답합니다. 불편한 게 더 많으니까 공개하지 말라고 한다면, 세상은 온갖 불편한 것들로 이루어져 있으니까 이 정도는 괜찮다고 대답합니다.

나 하나쯤 정신질환이 있다고 해서 세상이 무너지는 것도 아니고, 나 하나쯤 조울증이 있다고 해서 나라가 망하는 것도 아니고, 제가 양극성장애라고 해서 가정이 무너진 것도 아닙니다. 정신질환을 공개하고 나서 떠나는 사람들이야 거기까지인 것 아니겠습니까?

네 번째 내원

지난 내원 때 약을 늘리고 두통이 있다고 말씀드렸더니 약을 더 이상 늘리진 않으셨습니다. 정신과 상담 중 가장 공포스러웠던 것은 조울증이 유전될 가능성이 크다는 점이었습니다. 만약 양극성장애가 확정된다면, 아이도 추후에 검사를 해야 하기 때문에 못난 제가 아이에게 이런 병을 물려주다니 하고 훗날 후회하게 될 것 같아서 매번 결과를 여쭈었습니다.

이때까지는 선생님께서 다행히 양극성장애라기엔 애매하다고 지켜보자 하셨습니다. 집에서 안심하고 혼자 울었습니다. 혼자서 아니라고 결론 내리고, '얼마나 다행인지 몰라.' 하고 기뻐했습니다. 왜 그랬을까요? 아니라고 믿고 싶었을까요? 현재 시점으로는 결국 양극성장애와 망상장애로 진단받았습니다. 현재 긴장도가 너무 높아 요즘은 공황발작이 찾아오곤 합니다.

그 사이 친정에 5년 만에 다녀왔고, 운동도 시작했습니다. 의사분 덕분이라 감사하다고 말씀드렸는데, 의사분께서는 이렇게 말씀하셨습니다.

"예를 들어 저희 정신과 의사들은 등산하는 사람들 중에 당이 떨어져서 벤치에서 쉬고 계신 분들께 초코바(훈련, 약 처방, 내담 등)를 쥐어드리는 일을 하는 거예요. 초코바 잘 먹고 열심히 산을 올라가는 분들도 있고, 그냥 초코바만 계속 그 자리에서 까먹고 안 올라가시는 분들도 있어요. 산을 올라가는 건 환자분 의지기 때문에 자기 자신을 좀 더 칭찬해 주세요."

감동이었고, 뿌듯했습니다. 잘하고 있다는 말에 다행이라는 생각이 들었습니다. 급하게 가지 말고 천천히 가자는 생각을 했습니다.

식욕억제제를 끊으니 다시 살이 쪘습니다. 의사분은 운동할 때 체중에 너무 연연하지 말라고 하셔서 기록만 하기로 했습니다. 기록은 어제보다 한 글자라도 더 적히면 어제보다 나은 내가 되는 기분이었습니다. 저는 원래 글자에 집착하는 성향이 있는 것 같습니다. 지금은 그것을 인정했습니다. 운동기록을 SNS에 꾸준히 반년 넘게 올렸습니다. 사정이 있어서 싹 없애고 새로 SNS를 만들었습니다. 현재는 한복을 입고 사진을 찍기 시작했습니다. 그 아래에 해시태그 하나 없이 몸무게만 기록하기 시작했습니다. 기록장 그 이상도 이하도 아닌 그런 용도로 사용하는 SNS인데, 마음이 편합니다.

폭식하는 버릇은 억지로 고치려고 하면 더 힘드니 식이섬유 섭취량을 늘려보라고 하셨습니다. 샐러드를 자주 먹었더니 확실히 다르더군요. 두 번째로는 식욕은 후각의 영향력이 크기 때문에, 굳이 살을 빼야 한다면 제가 싫어하는 냄새를 맡아보라고 하셨습니다. 일주일간 집 청소를 락스로 박박 했습니다. 입맛이 떨어지는 효과는 있었지만, 즐겁지는 않았습니다. 다른 방법이 필요했습니다.

내원 후에는 2-3일간 두통이 남아 괴로웠습니다. 다행히 병원 다녀온 후 금방 사라졌습니다. 약을 뭔가 바꿔주신 것 같습니다. 우울함은 많이 나아지고 있었습니다.

당시엔 그렇게 느꼈습니다.

다섯 번째 내원

선생님, 저의 이야기는 다 과거의 일들이니 오해 없으시길 바랍니다. 그렇다고 구운몽처럼 '이것은 다 꿈이었습니다' 이런 건 아닙니다. 현재는 의사분과 약 조절을 잘해서 생활에 큰 문제가 없습니다.

병원 가는 길에 온몸이 축 늘어지더니 비가 내렸습니다. 상담 중에 있었던 일과 바뀐 점 등을 말씀드렸습니다. 락스로 청소한 이야기를 말씀드렸더니 냄새가 나는 저렴한 점토로 미니어처를 만드는 분이 있다고 하셨습니다. 꼭 그런 걸 하라는 것은 아니고, 락스로 청소를 매번 할 수 없으니 다른 방법을 권유하셨습니다. 자주 사용하는 쇼핑몰에서 오래 쓰고 가끔 리뷰를 쓰다 보면 체험단이라는 히든 메뉴가 열리는데, 거기서 손톱 강화제를 보고 이거다 싶었습니다. 끼니 외 시간에 식사 충동이 들 때마다 네일 컬러를 바르거나 강화제를 발랐습니다. 냄새가 정말 역겨워서 효과가 좋았습니다.

망상장애 치료로 병원을 다니다 보면 문제점이 하나 생깁니다. '진단명에 갇히는 부분'입니다. 아주 조금씩 망상장애라는 진단명에 갇혀서 제가 느끼는 모든 거북한 감정들이 진짜인지 가짜인지 구분을 점점 할 수 없게 되었습니다.

'진단명에 갇히다'라는 표현을 쓴 이유는 의사 선생님 탓을 하려는 의도가 아닙니다. 예를 들어 감기에 걸렸다고 칩시다. 그런데 감기로 인한 피로로 몸살이 날 수도 있고, 다른 이유로 몸살이 난 걸 수도 있는데, 몸살이 나거나 코피가 나거나 심지어 손가락이 저려도 '이것이 다 감기 탓인가?' 하고 병을 의심하게 된 것입니다.

여기서 '몸살'과 '코피' 등은 전부 대인관계였습니다. 이것을 혼자서 '진단명에 갇혔다'라고 생각했습니다. 저는 제 생활을 판단할 수 없었습니다. 혼란스러웠습니다. 선생님께 한동안 '저 감정이 없어져버린 것 같아요'라고 말씀드린 적이 있는데 기억나십니까? 약물 조절을 할 때마다 느끼던 슬픔입니다. 제가 저를 죽이지 않기 위한 의사 선생님의 안전한 감정의 감옥 안에서 제 감정들은 잠자고 있었습니다.

상대방이 나를 싫어하는 것 같은데, 이게 정말 나를 싫어하는 건지 아니면 망상증상인지 잘 모르겠다고 말씀드렸습니다. 의사분께서 말씀하셨습니다.

"내담자분 성격이면, 생각하셨을 때 상대방에게 실례가 되거나 피해가 갈 만한 행동을 하셨는지 곰곰이 생각해 보셨을 성격 같은데 그런 일이 있었나요?"

없어서 더 헷갈린다고 대답했었습니다. 선생님 대답에 제가 너무 바보 같은 질문을 했다는 걸 깨달았습니다.

"그럼 그냥 그 사람이 싫어하게 내버려 두세요. 상대방도 어른인데 자기가 답답하면 뭐가 싫은지 내담자분한테 말하겠죠. 말을 안 해도 좋고, 싫어하면 어떤가요. 참고로 미워하는 쪽이 스트레스가 크답니다."

선생님은 방긋 웃으며 말씀해 주셨고, 정말 소화제를 먹은 듯한 가벼움을 느꼈습니다. 어느 책의 제목처럼 미움받을 용기가 생겨나는 것 같은 기분이었습니다. 미움받으면 뭐 어때. 지금도 그렇게 생각합니다. 그날을 계기로 저는 조금씩 바뀌어 나갔다고 생각합니다. 여전히 좋아하는 것, 싫어하는 것이 증상인지 아닌지 구분하지 못하지만요.

여섯 번째 내원

저의 여러 가지 변화 중 하나는 평생을 따라다니던 충동구매가 줄어든 것입니다. 처음에는 스트레스 대응 능력이 낮아 스트레스를 받으면 보상심리로 충동구매를 많이 했었습니다. 이제는 물건이 꼭 필요한지 여러 번 고민하고 구매하게 되었습니다.

두 번째로는 처방받은 약 중에 알치증을 유발하는 약이 있었습니다. 살면서 부작용으로 이갈이를 만드는 약은 처음 보았습니다. 이럴 경우 정신과와 치과를 내원자가 왔다 갔다 하며 증상을 설명해서 치료를 진행해야 한다고 하더군요. 약을 바꿔봤지만 여전히 이갈이가 계속되었습니다. 치과에 가서 현재 정신과에 다니고 있고, 약을 변경해도 그대로라서 이리로 왔다고 했습니다. 2주가량 지켜보시고 턱 상태를 검사해본 결과, 습관의 문제였습니다. 그 와중에 반 매복 사랑니와 어금니가 썩어서 신경치료를 받게 됐습니다. 덕분에 농담 삼아 말하자면, 당시에 진통제 중독에 걸릴 뻔했습니다.

담당 의사 선생님께서 재미있는 이야기를 하나 해주셨습니다. 뇌는 이갈이를 '재미있다'라고 느낀답니다. 그렇게 생각하니 꼭 뇌가 따로 살아있는 것처럼 귀엽게 느껴졌습니다. 이런 건 어디서 배워야 알 수 있을까요? 요즘 정신과 선생님들이 쓴 책들이 너무 재미있습니다.

또 다른 변화로는 다리를 떠는 습관이 생겼습니다. 정말 제가 제 다리를 보고 "미치겠네, 너 왜 그래?" 할 정도로 덜덜 떨었습니다. 그리고 미래에 대한 걱정, 즉 벌어지지 않은 일을 걱정하는 것이 줄었습니다.

하지만 선생님께 숨기는 것이 하나 있었습니다. 나중에는 말씀드렸지만, 자살에 대한 생각이 멈추지 않았습니다. 저는 자살충동이 있다고 직접 말씀드리진 않았지만, 선생님이 눈치채셨을 가능성이 높습니다. "혹시, 제가 나쁜 생각을 하게 되면 횟수 체크를 해올게요. 그런데 그 기준은 어떻게 되나요?" 하고 여쭤봤거든요. 선생님께서는

"단순히 '죽고 싶다', '죽고자 하는 마음'은 횟수를 체크하지 않아요. 자살에 대한 구체적인 계획을 세웠는지, 그것에 대해 횟수를 체크해 주시고, 충동이 들면 꼭 말씀해 주세요."

저는 웃으며 알겠다고 대답하고 감사 인사를 했습니다. 사실, 이때는 선생님을 신뢰하지 못할 때였습니다. 차마, 폐차를 구매하는 방법을 알아보고, 그 안에서 연탄불을 피워서 혼자 죽는 방법을 계획했던 것과 운전 연수를 받은 뒤 평생 자식들을 괴롭힌 어머니를 태워 바다로 차를 몰아 빠져 죽을지, 그녀의 아파트에서 끌어안고 같이 투신할지 고민하고 있었다고는 말씀드리지 못했습니다. 금전이 얼마나 필요한지, 제가 그녀를 데리고 죽었을 때 다른 사람들에게 민폐를 끼치지 않을 장소를 알아보고 있었습니다.

가드닝을 좋아하다 보니 식물 관련 이름이 들어가는 도서는 대부분 읽는 편이었습니다. 최근에 읽은 레이철 서스만의 『나무의 말』이라는 책에서, 그녀는 칼 짐머의 생물종 간의 수명 다양성에 대한 글을 인용하는데, 거기에 복모벌레 내용이 나옵니다. 벌레로 번역했지만, 정확히는 복모동물문에 속하는 것을 말하는 듯합니다.

복모 벌레를 안쓰럽게 생각하기는 쉬운 일입니다. 복모 벌레는 볼링핀 같은 머리 모양에 깨알만 한 크기의 무척추동물로, 강과 호수에 수백만 마리씩 떠다니며 사는데, 알에서 부화해 주둥이, 창자, 감각기관, 뇌를 갖춘 신체를 발달시키기까지 사흘밖에 안 걸립니다. 이렇게 72시간 만에 성충이 되면 알을 낳고, 하루이틀 더 살다가 노화로 죽습니다. 평생을 일주일에 욱여넣다니 자연의 잔인함을 보여주는 사례 같지만, 이는 우리가 수명을 몇십 년 단위로 생각하는 데 익숙하기 때문입니다.

하지만 우리는 수명이 1만 년이 넘는 파머 참나무에게는 그냥 어느 한 해의 여름휴가 정도로 짧은 시간일 것입니다.

그들은 여름휴가라고 표현했지만, 사실 파머 참나무에 비하면 크리스마스 하루보다 더 짧은 게 인간 일생 같다는 생각이 들었습니다. 파머 참나무의 크리스마스 하루도 견디지 못해 어머니의 성탄절을 불사르고, 케이크를 식탁에서 내던지며 "이게 정말 축복이었다고 생각해? 내가 원한 건 크리스마스가 아니야!"라고 외치며 휴일을 끝내고 싶어 하는 복모벌레보다 못한 인간 같다는 생각을 했습니다.

이제는 인생을 그저 인생으로 바라보기 위해 노력 중입니다.

일곱 번째 내원

당시엔 자격증 시험이 다가와서 불안했습니다. 늘 화가 나 있는 상태 같다고 선생님께 말씀드렸습니다.

"현재 예민한 일을 앞두고 있어서 짜증이 날 수는 있지만, 여쭤보고 싶은 게 있어요. 화가 날 때마다 화를 표출하시나요?"

다들 그렇게 사는 게 아닌지 고민하며, 순간 솔직한 대답보다는 눈알만 흔들고 있었습니다. 선생님께서는 말씀하셨습니다. 화가 난다고 다들 그 자리에서 강하게 표출하지는 않는다고. 생각해보니, 여태껏 화를 표출하는 사람들을 봐왔습니다. 맞아요. 좋아 보이지는 않았습니다. 그들은 큰 일에 대해 화를 표출했습니다. 별일 아닌 것에 화를 내는 사람들은... 저처럼 아픈 거였나? 혼자서 생각에 잠겼습니다.

그리고 선생님께, 배고프면 짜증이 치솟는다고 말씀드렸습니다. 선생님께서는 이건 별개라고 하셨습니다.

"인간의 생존 본능과 연관된 거라, 혈당이 낮아지면 자연스레 그렇게 되는 게 맞아요. 하지만 혹여나 주변 사람에게 표출한다면 그건 정상적이지 않습니다. 일단 화가 나면 자리를 옮기는 훈련을 해보세요."

그 후로 화가 나면 참으려고 노력하고, 자리를 피했습니다. 사실 그것이 매번 가능했던 것은 아니기에, 태도에 일관성은 없었지만, 예전보다는 나아졌다는 가족의 말에 다행이다 싶었습니다. 자격증 시험을 앞두고 과도하게 흥분했다가, 날짜가 다가올수록 밝아졌다가 어두워졌다가를 오락가락 반복했습니다. 첫 번째 자격증 시험 때는 배우자의 배려 따위는 기대도 할 수 없었습니다. 그는 좋은 분입니다. 하지만 조울증인 저의 상태를 몰랐으니까요. 조울증인 걸 안다고 해서 달라지는 건 없었습니다. 하지만 제가 바뀌어가고 있었기에, 이때가 가정이 가장 평화로워지기 시작한 때였던 것 같습니다. 같이 학원 다니는 친구들도 정말 좋은 사람들이었기에, 음침하고, 어두운 저의 생각쯤은 숨길 수 있었습니다.

긍정적인 점은, 자리를 옮기는 훈련이 꽤나 효과가 좋았다는 것입니다. 화가 나면 내지르기보다는 아이와 저를, 혹은 배우자와 저를 분리시켰습니다. 저 사람들도 제가 얼마나 무섭고 스트레스를 받을까. 선생님께서는 폭력성이 아이를 향할 경우에는 즉각 분리시키겠다고 하셨습니다. 법적으로 의사는 그럴 힘이 있다고도 하셨습니다. 이 이야기를 제게 함으로써 효과가 있을 것이라고도 하셨습니다. 좋은 선생님을 만나서 다행이었습니다. 인터넷을 보면 선생님과 잘 맞지 않는 경우가 많았다는 이야기를 들었는데, 저는 운이 좋았습니다.

이 글을 쓰는 무렵 SNS에서 정신질환을 약점이라 부르는 것을 보았습니다. 선생님께서도 그렇게 생각하십니까? 저는 화가 났습니다. 우리나라 자살률이 왜 이 모양인지 다시 한 번 깨달았습니다. 당장 집집마다 고통받는 청년들을 보십시오. 그들이 원해서 우울증에 걸린 것 같습니까? 저는 미래에 적어도 자녀가 정신적으로 고통받을 때 얼마나 힘들지 감히 '안다'고는 못해도 열 일 제치고 그 아이의 정신 건강을 위해 노력할 것입니다. 우울증을 함부로 '약점'이라 언급하면서 인사이트를 얻어간다는 사람들을 보고 기겁했습니다. 우울증을 약점이라 생각하고, 숨겨야 한다고 말하는 사람들과 함께하는 나라라니. 제가 무조건 옳다고는 할 수 없지만, 그들이 그른 건 맞다고 생각합니다. 과격한 언행이 있었다면 죄송합니다.

여덟 번째 내원

시험이 끝나고 한동안 사람들이 모일 때가 있었습니다. 저를 빼고 다른 사람들이 모이면 제 험담을 하지 않을까 하는 생각이 문득 들었습니다. 이것이 피해망상 증상임을 깨닫고 다른 일로 시선을 돌려서 생각을 전환하려고 노력했습니다. 시험이 코앞으로 다가온 일주일 전부터는 엄청나게 예민해졌습니다. 남편에게 쓸데없는 짜증을 내고 저를 배려해 주지 않는다고 느꼈습니다. 저는 망상장애를 '빌어먹을 녀석'이라고 의인화하기도 했습니다. 한동안 멈췄던 자리를 피하는 훈련을 다시 시작했다고 의사분께 말씀드렸습니다. 안 하던 행동이지만, 오늘 행복했던 일들의 리스트를 작성하기 시작했습니다. 이것에 대해서는 의사 선생님께서 조금 애매한 입장을 보이셨습니다. 말을 꺼낼까 말까 고민하는 기색은 처음이라 괜히 긴장했었습니다. 의사분께서 말씀하셨습니다.

"행복하게 하는 리스트를 적는 것은 좋아요. 그런데 없는 날은 어떻게 하실 건가요?"

그 질문 하나로 선생님께서 무슨 이야기를 하고 싶어 하시는지 알아들었습니다. 행복하게 하는 일이 없고, 행복하지 않은 날도 그냥 하루일 뿐인 거군요. 네, 잘 알겠습니다.

근황 이야기가 이어졌습니다. 자격시험이 끝났고, 자잘하게 바빴던 이야기를 말씀드렸습니다. 선생님께서는 제가 당시 과다한 계획을 세우고 있다고 판단하셨습니다. 체력을 넘은 계획들과 들뜬 기분이 길게 지속되고 있었습니다.

"더 두고 보아야 할 것 같은데, 현재 환자분께서 도파민이 과다하게 분비되는 상태 같아요. 제가 도파민이 더 나오게끔 하는 약을 드릴 거예요."

도파민? 그게 뭐 하는 거예요? 선생님께서 간략하게 설명해 주셨지만 당시에 제대로 이해가 되지 않았습니다. 저는 처음 들어봤습니다. 인터넷에 꽤나 떠도는 이야기였던 것 같은데, 제가 인터넷을 잘 안 하니까요. 대체 뭐 하는 건지 궁금해서 바로 검색해 보았습니다.

검색해 보니 중추신경계 뇌 안에서의 도파민은 실행(executive function)과 운동(motor control), 동기부여(motivation), 각성(arousal), 강화(reinforcement), 보상(reward) 등을 조절한다고 나왔습니다. 도파민 뉴런은 뇌 안의 특정 부위에 무리를 지어 분포하고 있다고 합니다. 도파민은 뇌에서 우리 몸의 운동기능의 조절, 새로운 것들에 대한 탐색, 주의력, 성취감, 무언가를 하고 싶은 마음 즉, 내적 동기의 활성화 등과 연관이 있는 신경전달물질이라고 했습니다. 이게 저한테 과다분비 된다니, 좋은 거 아닌가 하고 생각도 했습니다. 하지만 이어진 설명에 저는 납득했습니다.

정신과적 질환들 중 조현병, 우울증, 강박증, 주의력결핍과잉행동장애(ADHD), 중독 등 다양한 질환들이 도파민 분비의 이상과 관련 있다고 알려져 있다고 나왔습니다. 예를 들면, 파킨슨과 같은 질환은 뇌의 특정 영역에서 도파민 관련 신경세포가 줄어들면서, 운동기능이 조절되지 않고, 떨림 증상, 몸의 강직 등이 나타나는 질병이고, 도파민 물질이 근육 경직 등을 야기시키기 때문에 감정이 없는 마네킹 같은 표정, 근 움직임의 강직 등이 특징적이라고 합니다.

더 후에 설명할 이야기 중 하나인데, 선생님께서 처방해주신 약 덕분에 감정이 사라진 적이 있었습니다. 아마 그때 도파민과도 연관이 있지 않았나 싶습니다. 선생님께 이렇게도 할 이야기가 많습니다.

도파민은 신체뿐만 아니라 감정도 딱딱하게 만들었습니다. 도파민 분비에 이상이 생기면 무기력하고, 무감정과 같은 우울증과 유사한 증상들이 함께 나타납니다. 뇌의 도파민 증가가 정신병적인 증상이나 기분이 들뜨는 증상과 연관이 있습니다. 또 특정 행동을 한 후 긍정적인 보상이 이루어지면 뇌의 도파민 신경체계(보상 회로: reward system)가 활성화된다고 합니다. 예를 들면, 도박에서 승리를 할 때 쾌감을 느끼고 다시 하고 싶은 욕구를 유발하는 것과 연관이 있습니다. 물론 저는 도박은 아버지 덕분에 지긋지긋해서 쇼핑을 참을 수 없었습니다. 반대로 도파민 활성이 감소되어 있는 경우는 우울증과 연관이 있으며, 무기력, 의욕 저하, 활력 감소 등의 증상들과 관련이 있다는 주장도 있었습니다. 의사 선생님께서는 이어 말씀하셨습니다.

"테스트를 좀 해볼 건데, 선생님은 지금 계획을 세우고 행동을 하는 것들에 대해 중독이 의심되어서요."

이해가 가진 않았지만, 저는 선생님을 점점 믿어가는 과정이었습니다. 선생님 말씀을 따르겠습니다. 그런데 과다 상태인 도파민을 왜 더 나오게 처방하시는지 물었습니다. 알고 보니 과잉 분비되면 양을 확 줄이는 성격이 있어서, 저한테서 도파민이 더 나오게 하는 약을 처방해 줌으로써 줄이는 거라고 했습니다. 불을 끄기 위해 맞불을 놓는 것이었습니다. 효과가 있을까 의심하던 날이었습니다.

추신: 제 평생을 계획적으로 살아온 것이 뇌의 이상한 증상 때문이라 생각하니 슬펐습니다.

아홉 번째 내원

학원이 끝났습니다. 사람 만날 일이 없어 너무 평화로웠습니다. 하지만 선생님께서는 혹시 의식적으로 회피 중인 거라면 경과가 좋지 않다고 하셨습니다. 외면하던 사실이었습니다. 맞았습니다. 사람과 이야기하는 게 숨이 막힌다고 솔직히 말씀드렸습니다. 의사 선생님께서 말씀해 주셨습니다.

"마치 해리포터에 나오는 볼드모트처럼, 그 인물의 실체를 보면 그렇게까지 무섭지 않지만, 그 이름을 부르지 않는 것만으로도 공포심이 커지는 효과가 있어요. 허상의 귀신을 무서워하는 것처럼, 밤중에 검은 물체를 보고 놀라지만 막상 확인해 보면 그냥 검은 비닐일 뿐이죠. '저는 사람들이랑 이야기하면 숨이 막혀'라는 조건을 만들지 않는 게 중요해요."

저는 목이 턱턱 메어서 눈물이 났습니다. 사실 첫 번째 내원 때는 이유 없이 줄줄 울었던 것 같습니다. 저는 작은 일을 크게 생각하고, 큰 일을 작게 생각합니다. 그 성격이 여기에 드러난 것 같았습니다. 어느 정도냐 하면, 유산 상속 포기처럼 큰 일을 해결할 때는 하나도 안 떨립니다. 무섭지도 않습니다. 그런데 돈 몇만 원이 없어서 숨 막히면 서러움에 눈물이 왈칵 쏟아집니다. 웃기는 이야기입니다. 어이가 없습니다.

신께서 제 뇌를 조립할 때 부품을 거꾸로 끼워 맞춘 게 아닐까 하는 바보 같은 생각을 해봅니다.

약은 10월까지 유지하고, 상태가 좋으면 줄여나가서 내년에 복용을 끝내는 걸 목표로 하자고 하셨습니다. 결국 평생 먹어야 하는 걸로 결론이 났지만, 당시에는 희망이 보였습니다. 상담은 제가 자진해서 주기적으로 받기로 했습니다. 희망적인 상담이었지만, 저는 사실 선생님께 몇 가지를 숨겼습니다.

여덟 번째 내원과 아홉 번째 내원 사이에 십수 년이 지나도 고통스러운 조카의 기일이 지나갔습니다. 타이밍이 어찌나 절묘한지, 마침 읽고 있던 책에도 지속적 애도 장애라는 내용이 나오더군요.

슬픔에서 벗어나기 위해서 감정과 글을 쏟아내기 시작했습니다. 글을 쓰면 슬픔이 많이 해결되고 행복해졌다고 해야 하는데, 어떻게 설명해야 할지 감이 오질 않았습니다. 입이 떨어지지 않았습니다. 집에 와서 생각해 보니 이게 뭐라고 말씀을 못 드리는지, 말씀드려야겠다고 생각했습니다.

편지를 쓰다가 생각났습니다. 정신과 검사를 어렸을 때 이미 받았다면 어땠을까요? 진작에 접해서 이것이 '나쁜 검사'가 아님을 알게 하는 건 정말 좋을 것 같습니다. 우리는 정신과 검사를 굉장히 회의적으로 배워왔습니다. 실질적으로 아직도 무슨 범죄자처럼 말합니다.

"그거 기록 남는다잖아."

가족에게 들은 말입니다.

"일반 건강검진도 기록 남잖아요. 의료 기록이니까 기록이 남죠."

이렇게 대답해 드렸습니다. 친구는 '어디 부모 학원에서 배운 듯 똑같은 말'이라고 했습니다. 왜 우리 사회는 정신건강을 이렇게도 소홀히 할까요? 나중에 불이익이 있을 수 있다는 말도 들었습니다. 요즘은 초등학교에서도 주기적으로 약식 심리검사를 하고 심리상담 교사가 상주해 있는데, 성교육

하듯이 정신건강에 대해서도 교육을 시켜주면 좋겠습니다. 건강검진 항목에 포함되면 얼마나 좋을까요? 스트레스 관리를 통해 부모가 자녀의 상태를 파악하고, 그들이 엇나가기 전에 정신과 선생님들이나 상담사 선생님들의 피드백을 받고 가족관계도 개선해 나가고. 몇 년이 지나야 그게 가능해질까요? 혼자 언제 이루어질지 모르는 꿈을 꿔봅니다.

열 번째 내원

응급실에 가면 정신과 당직 선생님이 있다고 합니다. 너무 죽고 싶을 때, 충동을 참지 못해서 찾아가면 상담과 함께 심할 경우 안정제를 주사하거나 처방해 주실 거라 했습니다. 추가로 필요하다고 여겨질 경우 보건소로 연결해 주는 사회안전망도 있다고 합니다. 그런 걸 전혀 모르고 살고 있었습니다. 보통 알려고 하지도 않습니다.

이때는 정말 힘들었습니다. 차도로 뛰어들고 싶은 충동을 멈출 수 없었기 때문입니다. 병원을 가기 전 궁금했던 건, 계속 느꼈던 자살 충동이 양극성 장애의 증상인지, 도파민 과다로 인한 강박증으로 빽빽하게 세워놓은 내 젠가 블록 같은 일정이 무너져서인지, 바닥으로 푹 꺼지는 느낌이 이 정신병의 증상인 건지였습니다. 그리고 내원해서 여태껏 무서워서 망설였던 질문을 하기로 했습니다.

"선생님, 혹시 치료가 끝나면 '무언가를 끊임없이 찾아서 하는 게 즐거운 나'는 없어지나요? 그럼 남아있는 제가 진짜 저인 건가요?"

위 이야기를 선생님이 이해할 수 있게 자세히 이야기하자면, 내원하기 하루 전날, 수많은 물음표가 머릿속을 헤집고 다녔습니다. 조울증의 증상인데, 쉴 새 없이 생각이 떠오릅니다. 예전에는 그냥 생각이 많아서 그런 줄 알았습니다. 저는 이게 정신병의 증상일 줄은 꿈에도 몰랐습니다. 명상이 불가능합니다. 환청과는 다릅니다. 질문들을 멈추고 싶었던 저는 차도로 뛰어들고 싶었습니다.

하지만 제 품에는 아이가 있었고, 증상임을 자각하고 있었기에 그 충동을 억누를 수 있었습니다. 병원을 다니지 않았고, 아이가 품에 없었더라면 어땠을까 하는 생각도 잠시 했지만, 그건 만약일 뿐입니다. 제가 자주 하는 이야기인데 기억나십니까? '만약'이라는 건 '없다'와 같은 말입니다.

내원해서 일련의 증상에 대해 상담하였습니다. 회복기에 나타나는 자살 충동이라 하셨습니다. 사람들은 오히려 아예 우울하고 에너지가 없고 무기력할 때는 자살하려는 의지도 없다가, 조금씩 회복하고 힘이 생기면서 이 우울에서 벗어나려는 순간 '다 때려치울까?' 하고 자살 충동을 느낄 수 있다고 합니다.

그리고 오늘 아침, 내원하기 이틀 전 약을 빼먹었다는 걸 깨달았습니다. 꼬박꼬박 약을 먹는 게 이토록 중요한 일입니다. 정신질환이 있다면 약을 빼먹는 것이 생명이 위험할 수 있다는 걸 알았습니다. 선생님께 약을 안 먹자마자 자살 충동을 느낄 수 있는지에 대해 여쭈어봤더니 항우울제보다 신경안정제를 안 먹은 영향일 수도 있다고 하셨습니다. 충분한 휴식을 취하는 게 좋다고 하셨습니다.

중요한 이야기를 알려주셨습니다. 너무 자살 충동이 심할 때는 응급실에 가라는 말씀이셨습니다. 여러 번 메모장에 '자살 충동이 들 때는 응급실로'라고 적었습니다.

치료에 대해 다시 정리가 필요했습니다. 제가 받는 치료는 그렇다면 피해망상과 우울증인 건가요? 여쭈어보았습니다. 선생님께서는 복용하는 약 다섯 가지를 설명해 주셨습니다. 아주 복합적이라고 하셨습니다. 결론부터 말하자면, 양극성 장애와 망상장애 치료, 자기 자신에 대한 공격 성향 치료가 주목적이라고 하셨습니다. 도파민 과다의 경우, 현재 지켜본 결과 도파민 과다 증세 중 가장 중요한 것이 '목적 없는 행동'인데, 저는 다행히 여태껏 목표와 목적이 뚜렷한 행동을 해왔고, 그것이 성향으로 판단된다고 하셨습니다. 정신병을 기차처럼 줄줄이 달고 살 줄 알았는데, 다행입니다.

선생님께서는 체력, 정신력, 건강은 사람들이 생각하는 것보다 아주 밀접한 관계에 있는데, 제가 그 밸런스를 자주 무너뜨리는 경우가 있는 것 같으니 주의가 필요하다고 하셨습니다. 집으로 오는 길에는 첫 번째 내원 당시의 심정이 생각났습니다. 왜 이걸 편지에 안 썼을까요? 혼잣말로 중얼거렸습니다.

"조울증이라니! 양극성 장애란 단어 처음 들어봐. 그게 뭐지? 피해망상이라니!"

단어들이 너무 요란하지 않나? 저는 사회생활을 이렇게 잘해내고 아이도 낳아 키우고 배우자와 잘 살고 있는데, 그냥 단지 가끔 죽고 싶을 뿐이었는데. 그게 행동으로 이어진 것뿐이지 우리나라에선 뭐 별로 이상한 것도 아니지 않나? 뇌, 중요하긴 하지. 그런데 신체 기관 하나가 나 자신을 공격하고 다른 사람들이 나를 싫어할 거라고 생각하게끔 조종하다니, 고장 났다니. 내 통제에서 벗어난 뇌라니.

어느 날 갑자기 잘 운영하던 내 신체 기관이라는 회사에 대체불가능한 임원이 이따금씩 인생에게 사직서를 심심하면 던지는 느낌이었습니다.

제가 먹는 약에 대한 내용입니다. 기분 조절을 도와주는 약, 우울증을 치료하는 약, 공격성을 막는 기분 조절 보조제, 신경안정제와 위장약 등 총 다섯 가지입니다. 요즘은 처방전이 애플리케이션으로 와서 집에 도착하자마자 제가 먹는 약을 잠시 확인해 보았습니다.

데파코트 서방정 250mg(1정)은 성인에서의 정신병적 특성을 수반하거나 수반하지 않는 양극성 장애와 관련된 급성 조증 또는 혼재 삽화의 치료를 위해, 시탈로정 10mg(1정)은 주요 우울장애, 광장공포증을 수반하거나 수반하지 않는 공황장애, 사회불안장애(사회공포증), 범불안장애, 강박장애의 치료를 위해, 아빌리파이정 1mg(내복)(1정)은 조현병, 양극성 장애와 관련된 급성 조증 및 혼재 삽화의 치료, 주요 우울장애 치료의 부가요법제, 자폐장애와 관련된 과민증을 위해, 그리고 스리반정 0.5mg(1정)은 신경증에서의 불안, 긴장, 우울, 정신신체장애(자율신경실조증, 심장신경증)에서의 불안, 긴장, 우울을 치료하기 위해 처방되었습니다. 이 약은 일상적 스트레스와 연관된 불안 또는 긴장의 경우 치료가 필요하지 않으며, 임상적으로 증상이 심각하거나 환자의 행동에 심한 장애가 있을 경우에만 사용합니다.

개인적으로 의사 선생님들 외에 SNS나 포스팅에서 정신질환에 관해 편견을 만드는 사람을 좋아하지 않습니다. 제가 보기에 어떤 느낌이냐 하면, '제가 겪어본 암 환자들이 암에 걸리는 이유'와 똑같습니다. 정신질환도 질병입니다. 일반인이 판단할 수 있는 분야가 아니라고 생각합니다. '우울증 환자 특', '조울증에 걸리는 이유', '사이코패스 특징', '소시오패스는 어쩌고' 하는 글들이 흔해졌습니다. 정말 그런 글들을 읽을 때마다 화가 치솟습니다. 약 먹고 멀쩡히 사회생활하는 사람들을 전부 바보 만드는 글들 같았습니다. 선생님께서도 동의할지 모르겠습니다.

열한 번째 내원

내일은 일정이 너무 많아서, 휴무라 다행이라고 생각했습니다. 퇴근하고 나니 아가가 콧물이 너무 많이 나온다고 해서 PT를 취소하고 병원에 데리고 갔습니다. 사실, 이 정도의 아이 상태라면 데리고 병원에 가기 싫었습니다. 엄마 자격이 없는 걸까요? 그럴 수도 있습니다. 하지만 아이의 상태는 좋아 보였습니다.

그런데도 모든 사람이 "아이가 콧물이 줄줄 나오는데 병원에 안 가는 여자라니! 저런 엄마가 다 있을까?" 하고 비난하는 것처럼 느껴졌습니다. 이게 피해망상입니다. 왜곡하는 증상. 가는 내내 할머니와 떨어졌다고 제 귓가에 대고 엉엉 울면서 나를 원망하는 아가를 보고 마음속 어두운 부분이 속삭였습니다.

'언제까지 이렇게 살아야 하지?'

'네 몸 하나 못 추스르는데 누굴 키우니?'

'공부 따위 할 여유가 되니?'

'직장도 아니고 아르바이트하는데 이렇게 힘들면 되겠니?'

'이러면서 만학도로 대학 가면 버틸 수 있겠니?'

'네가 엄마 자격은 있니?'

'하고 싶은 게 그렇게 많아서 어떻게 하니?'

'발바닥이 너무 아파'

'어금니도 너무 아파'

'숨 막혀'

막상 병원에 가보니 선생님이 대수롭지 않게 말씀하셨습니다.

"귀도 멀쩡하고... 전부 정상인데, 왜 오셨어요? 너무 걱정 마시고 코감기 극 초반인데, 아직 약 먹이지 마세요. 비상약 지어드릴게요."

안심이 되어야 엄마 아닙니까? 꼬인 일정이 더 신경 쓰였습니다. 이게 정상입니까? 정상이 대체 뭡니까? 아기를 걱정해야 엄마 아닌가? 제가 모성애가 없나? 생각은 이렇게 하면서, 아니 이런 생각을 하는 제가 너무 쓰레기가 된 기분이라 아가한테는 더 상냥하게 해주었습니다. 약국에서 저는 아이에게 말했습니다.

"뭐가 갖고 싶어? 엄마가 사 줄게"

아이는 상어 모양 비타민을 가져왔습니다. 그 물건을 결제하고, 비타민을 까서 입안에 넣어주면서 머리를 쓰다듬고, 엉덩이를 토닥거리며 생각했습니다. 내일 정신과 상담이 있어서 다행이다. 제가 적어도 겉으로는 멀쩡한 엄마여서 다행입니다. 갑자기 서러워졌는지 엉엉 우는 아기를 끌어안고 있는데 저도 울고 싶어졌습니다.

예전과 다르게 사회가 좋아졌습니다. 오지랖이지만, 저는 좋아졌다고 표현합니다. 아가가 울면 사람들이 예민하게 쳐다보는 게 느껴집니다. 토닥토닥 달래면서 저도 같이 울어서 이상한 모녀로 보이지 않도록 눈을 부릅뜨고 숨을 크게 쉬어야 했습니다. 아무도 저를 챙겨주지 않습니다. 저는 나만이 챙길 수 있습니다. 그런데 저를 챙겨야 하는 제가 고장이 났습니다. 어쩌면 좋습니까?

다음날 아이를 어린이집에 맡기고 조금 이르게 집에서 나섰습니다. 진료를 보는 날이었기 때문입니다. 다행히 이전 사건 이후로 자살 충동은 없었습니다. 선생님께는 글쓰기에 대해 이상하게 쑥스러워 이야기를 안 하다가, 드디어 글을 쓴다고 말씀드렸습니다. 선생님께서는 매우 반색하셨습니다. 실제로 치료 과정에서 글쓰기를 권유하기도 한다는 말씀을 하셨습니다.

과정은 이렇습니다. 상황이나 감정을 적습니다. 예를 들어 분노. 적으면서 1차적으로 저의 감정을 돌아봅니다. 실제로 선생님께서는 이 '글을 적는' 과정에서 단어를 고르면서 사람은 자기 감정을 돌아보는 작업을 뇌가 시작한다고 했습니다. 다음에 맞춤법이 틀린 게 없는지 다시 읽어봅니다. 과한 단어를 수정하면서 이때 감정도 조금 추스르게 됩니다. 업로드하거나 일기를 쓰고 다시 글을 읽어보게 됩니다. 이미 이때 즈음에는 화가 풀려 있습니다. 고로 저는 치료를 위해서라도 글을 써야 합니다. 웃음이 나왔습니다.

그리고 선생님께, 저는 왜 이렇게 비관적일까요? 하고 여쭈었습니다. 선생님께서는 뇌는 게으르고, 자기가 하던 일을 하는 걸 좋아한다고 하셨습니다. 어렸을 때부터 부정적으로 생각하던 것이 비유하자면, 생각이라는 논밭에 조금씩 삽질을 해서 그 길로 물길이 트여 있는 상태라, 뇌 흐름이 그런 거라고 하셨습니다. '나는 왜 암울할까?' 하는 것보다 평소에 자잘하게 긍정적인 생각을 해서 뇌가 그쪽 길로 생각을 흘려보낼 때 편하게 만들어주면 좋다고 하셨습니다.

열 두 번째 내원

이쯤에 저는 첫 책을 쓰게 되었습니다. 내원해서 선생님께 말씀드렸습니다. 혼자 POD로 준비했던 저의 일생을 담은 '바닥에 떨어진 편지'였습니다. 선생님은 기꺼워하시며 축하해 주셨습니다. 책이 나오면 꼭 말해달라고 하셨지만, 부끄러워서 차마 말을 못 할 것 같았습니다. 퇴고를 어제 스물네 번째 했지만 계속 고칠 것이 나왔습니다. 저는 저것을 세상에 내놓을 수가 없을 것 같았습니다. 누군가에게 사달라고 하는 순간 내 입을 찢어놓고 싶을 것 같았기 때문입니다.

심지어 이 당시에 사기도 당했습니다. 글쓰기가 좋아져서, 글쓰기가 제게 도움이 되어서 시작했던 건데, 글쓰기가 나를 배신하다니! 참지 못하고 두어 달 책을 출판하다가 결국 절판시켰습니다. 친구는 저의 글을 부끄러워하지 말라고 했습니다. 본인 글에 대한 자부심을 갖는 것도 참 어려운 일입니다. 낮은 저의 자존감 탓일까요? 아니면 글을 쓰는 사람들 모두가 이런 걸까요?

오늘은 문득 궁금한 것을 여쭤보았습니다. 내 양극성장애가 아동학대 때문에 생긴 것인지가 가장 궁금했습니다. 선생님께서는

"내담자분께서 원하는 대답이 아닐 것 같아서 안타까운 소식이긴 한데, 정신질환에는 유전 요인이 큰 것과 환경 요인이 큰 것, 두 가지로 크게 나뉘어요. 조울증은 유전적 요인이 크죠."

의사 선생님께서는 아무렇지도 않은 척했지만, 태생이 이렇게 태어났다니 그것 참 거지 같은 일이구나 속으로 생각했습니다. 선생님께서는 말씀하실

때 참 리듬감 있게 말씀하십니다. 그 높낮이 있는 목소리 덕분에, 잠시 저는 차오르는 분노를 억누르고 선생님 말씀을 경청하였습니다.

"그릇으로 비유할게요? 양극성장애 환자분들은 말하자면 얇은 유리그릇이에요. 던지면 안 되겠죠? 일반 가정에서는 유리그릇을 어떻게 할까요?"

"던지지 않아요."

"그렇죠. 잘 안 깨지게 다루어주겠죠. 반대로 놋쇠 그릇, 정상적으로 튼튼한 정신을 가지고 태어났지만 망치로 두드리고 밟고 던져요. 놋쇠 그릇도 찌그러지고 망가지겠죠."

저는 바로 이해했습니다.

"유리그릇으로 태어난 주제에, 벽에 던져서 박살이 난 상황이군요. 제 정신은. 이해했어요."

내 말에 선생님께서는 잠시 제가 생각할 틈을 주셨습니다. 저는 올해 제가 약을 끊을 수 있을 줄 알았는데, 그게 아닌 거죠? 선생님은 제가 잘하고 있다고 했지만, 약 없이는 저는 당장 목숨도 내다 버릴 만큼 박살 나 있는 거예요. 저는 드디어 제가 고장난 인간임을 인정해야만 했습니다.

진정이 조금 되고 나니 아이가 걱정되었습니다. 제가 유전이라면 저희 아가는 어떻게 하나요? 선생님께서 말씀하셨습니다.

"아까 그릇 보관 어떻게 한다고 했죠?"

"깨지지 않게 조심해서. 네."

"자녀 교육이라는 거 어려울 거 없어요. 물론 쉽다는 게 아니에요. 책 읽

56

게 하고 싶으시면 엄마가 책을 보시면 되고, 감정 컨트롤 훈련을 하고 싶으시면 그걸 하는 모습을 보여주세요. 지금처럼 글을 쓰시고, 책을 보시고, 운동하시고. 어머니가 물려줘야 하는 유산이라는 건 대단한 금전적인 게 아닙니다. 사는 방법을 보여주세요. 만약 아가가 나중에 확인했을 때 유리 그릇이어도, 선생님이 다루는 법을 알려주신다면 깨질 일이 없어요."

제가 열심히 사는 게 아이를 위한 길이라면 그걸로 되었습니다. 부모란 다 그런 거 아니겠습니까? 그 뒤로는 몸살을 앓듯 우울 삽화가 찾아왔습니다. 며칠 전 친구의 스냅샷이 떠올랐습니다. 한동안 힘들어하는 와중에도 기록을 한 게 기특하고, 멋지다는 생각에 저도 기록을 하나 남겨봅니다.

조증의 우울 삽화는 일반 우울증과는 다르게 본인이 바로 깨닫습니다. 왜냐하면 평상시의 저는 항상 고양되어 있고, 의욕이 넘치고, 선생님이 약물로 잡아는 주시지만 그래도 도파민이 과다 분비되는 상태입니다. 한마디로 다른 사람들보다 몇 배로 활력이 넘칩니다. 이러면 좋을 것 같지만 본인 체력 이상을 움직이기에 피로하고, 웃기지도 않은 일에 웃습니다. 정신적으로는 멀쩡합니다. 육체가 못 따라옵니다.

심각할 때는 가까운 사람이 죽었다는 말을 들어도 슬프지가 않았습니다. 감정이 사라지기도 합니다. 그때에는 장례식장에서 제가 웃어버릴 것 같아서 참석을 못 했습니다. 조증 삽화가 지나가고 난 자리의 폐허에서 저는 울었습니다. 친구에게 미안하고 면목이 없었습니다.

'10'으로 갈수록 기분이 좋은 거고 숫자가 내려갈수록 기분이 안 좋다고,

우울하다고 설명해보겠습니다. 평소 약물로 조절이 잘 되는 저는 '3' ~ '-3'을 하루에 올라갔다 내려갔다 반복합니다. 이틀 전엔 내 기준 '-8'이었습니다. 자살 충동을 3회 겪었습니다. 어제는 내 생각에 '-6' 정도였던 것 같습니다. 그냥 하루 종일 눈물이 나왔습니다. 저는 빠르게 횟수를 체크하며 다음 내원 때 말씀드릴 수 있게 기록을 남겼습니다. 어제는 이유 없이 한 시간을 울었습니다. 슬퍼서가 아닙니다. 그냥 눈물이 나오는데에는 이유 따윈 없습니다. 고장 난 뇌 따위에 이유 같은 건 없습니다.

분노의 5단계 순서란 시한부와는 달리 역순입니다. 수용-우울-타협-분노-부정. 수용 상태에서는 평소와는 너무나 다른 정신적 몸살 기운을 감지하고, '아. 이거 우울 삽화구나, 조심해야지'라고 생각합니다. 곧바로 제가 피할 틈도 없이 인도로 돌진하는 음주운전 차량처럼 우울이 찾아옵니다. 예고 따윈 없습니다. 병원을 다녀서 그나마 조절이 되는데, 치료를 받기 전에는 신랑 앞에서 그냥 창문을 바로 열어서 뛰려고 했습니다. 자살 방법을 얼마나 찾아봤었는지 모르겠습니다. 우울이 조금 가라앉고 나면 저는 그럼에도 살아가야 한다는 생각을 계속합니다.

그리고 분노가 찾아옵니다. 두개골을 열어서 뇌를 던지고 싶어지는 것입니다. 화가 나서 물건을 다 던지고 싶어집니다. 치료 전에는 소리를 질렀습니다. 미친 사람처럼. 아, 미친 사람 맞습니다. 이렇게 쓰니 정말 오락가락하는 것이 슬프네요. 여기에 제 피해망상이 더해지면 사실은 의사 선생님이 저는 멀쩡한데 약을 먹어서 이상하게 만든 거 아닐까라는 말도 안 되는 상상을 시작합니다.

잠이 오지 않는 우울함은 저에게 죽음보다 더한 고통입니다. 하지만 어제는 기분이 다시 괜찮아져서 커피를 마셨습니다. 며칠 만에 마신 커피 탓이길 바라며 혼자 기록을 써봅니다.

어찌 보면 조증 삽화 기간은 하나의 기회입니다. 제 능력 밖의 일을 하려고 갑자기 미친 듯이 계획을 세우기 시작합니다. 잠이나 휴식에 대한 생각은 아예 사라지고, 이렇게 새벽에 깨도 피곤하지 않습니다. 이 상태에서는 생각이 미친 듯이 많아집니다. 갑자기 이상한 것에 꽂히곤 합니다.

예를 들어, A라는 행동을 하려고 했는데 갑자기 B 행동을 시작하고, 아차 싶어 C 행동을 시작하게 됩니다. 이 글처럼 두서없이 말입니다. 숨을 천천히 쉬지 않으면 생각의 흐름에 몸이 휘말립니다.

방금도 자다가 눈을 떴을 때 글을 통째로 분해해야겠다는 생각에 눈이 번쩍 떠졌습니다. 집중해서 제가 무엇을 하고 싶은지 생각하다 보니 베란다로 나가서 분갈이도 하고 싶어집니다. 아무래도 글을 적다 보니 커피 탓이 아닌 것 같았습니다. 조증 삽화가 맞다면 이 기회에 운동을 더 해야겠습니다. 혼자 하는 생각인데, 아무래도 우울함을 못 견뎌 뇌가 무언가를 분출하여 조증 삽화가 찾아오는 것이 아닐까? 저 혼자 미쳐가는 뇌에 대고 상상을 해봅니다.

열세 번째 내원

다른 병원에서 진료를 받는 친구가 있습니다. 그 친구가 제가 다니는 병원에 대해 물어보아서 설명했더니, 왜 그 병원은 대기실에 내담자들이 그렇게 많냐고 물었습니다. 본인이 다니는 병원은 서로 마주치지 않게 해 준다고 했습니다.

"그렇구나, 개인정보 보호가 참 잘 되겠다." 하고 말했지만, 저는 지금 다니는 병원의 대기실에 사람들이 많은 것이 좋았습니다. 잠시도 가만히 있지 않아 엄마가 강제로 붙들고 있는 아이, 강아지에게 쉴 새 없이 말을 거는 여자, 숨쉬기도 불편해 보이는 덩치 큰 남자가 땀을 뻘뻘 흘리고 있었습니다. 계속 나를 흘끔거리는 노인도 있었습니다. 저 사람들이 나를 어떻게 느낄까? 싶으면서도 안심이 되었습니다. 우리는 모두 눈먼 자들의 도시 속 맹인일 뿐이니까요.

열두 번째 내원 후 조증 삽화가 지나가고 감정과 의욕이 사라졌습니다. 자살 충동은 세 번 찾아왔습니다. 죽고 싶을 때마다 응급실로 달려가야 한다고 중얼거렸습니다. 한 시간 내내 슬펐지만, 이유는 없었습니다. 운동을 하면 원래 기분이 나아졌는데, 운동을 해도 축축 처지기만 했습니다. 스트레스만 계속 쌓여갔습니다. 저는 취미가 꽤 다양하다고 생각했지만, 선생님께서는 하나 정도 더 늘리는 게 어떠냐고 하셨습니다.

조울증 증상 중 경조증 삽화가 찾아오면 비정상적인 욕구들이 강렬해집니다. 식욕, 물욕, 가끔은 성욕도 증가해서 곤란할 때가 있습니다. 일주일 이상 지속되어서 선생님께 말씀드렸습니다. 그 후에는 몸살처럼 기운이 빠졌습니다. 기상 시간은 오전 2시에서 3시였습니다. 자다가 잠시 일어나는 것이 아니라 눈이 정말 번쩍 떠지는, 말 그대로 기상 시간이었습니다. 몽유병 환자처럼 새벽을 헤맬 때면 나는 혼자 세상에서 길 잃은 사람처럼 집안을 빙글빙글 돌았습니다. 불쾌감이 일주일 내내 치솟았다가 3주 차에 정상으로 돌아왔습니다. 의사 선생님께서는 처음에 조증삽화 치고는 기간들이 짧아서 의심만 해보자고 하셨습니다.

제가 먹는 약 중 우울증 치료제에 조증을 가속화시키는 부작용이 있어서, 약물 부작용 여부 확인을 위해 우울증 약을 빼보자고 하셨습니다. 그래서 약을 감량했습니다.

"조증이 아니라 약물 부작용 가능성이 더 높아서 다행입니다."라는 기이한 대답을 들었습니다.

첫 공황이 찾아왔습니다. 남들이 믿고 안 믿고는 관심이 없습니다. 죽음에 대해서는 무덤덤합니다. 매일 죽음을 생각하다 보니, 그래서인지 시간에 대한 공포가 공황으로 나타났습니다. 시간이 나를 쫓아오는 것 같은 느낌이었습니다. 무언가를 하지 않으면 당장이라도 큰일이 벌어질 것만 같은 공포로 나타났습니다. 그리고 시야를 뇌가 쫓아가지 못했습니다.10:36 귀에서 삐- 하는 이명 후 귀뚜라미 소리.

10:38 집에 벌레가 있을 것 같은 느낌이 들었습니다.

11:50 속이 메슥거리다.

12:33 불안함이 빠른 속도로 커졌다.

16:30 두통이 너무 심합니다.

약을 실수로 걸렀습니다. 부작용인지, 기분이 매우 좋은데도 너무 들떠서 불안합니다. 조증 환자는 원래 그런 거 아니야? 라는 생각이 들지만, 매일 이럴 때 정말 힘들었습니다. 이제는 가끔 찾아오는 것이지만, 전에 약을 빼주신다 했는데 안 빼서 그런지 너무 들떠있습니다.

사고 싶은 물건들이 계속 떠오릅니다. 평소에는 물욕이 없다시피 한데, 지금은 그렇지 않습니다. 계속 뭔가를 해야 할 것 같은데, 하필 오늘은 운동도 못 가고, 날이 추워 아이랑 밖에서 놀 수도 없습니다. 그냥 불안합니다. 목구멍으로 심장이 튀어나올 것 같았습니다. 기분은 좋은데, 그래서 불쾌합니다. 어이가 없습니다.

이어서 씁니다. 결혼기념일이었습니다. 저는 여태껏 고민하던 이야기를 배우자에게 꺼냈습니다. 사실 자주 했던 이야기인데, 흘려들으시는 것 같아서 진지하게 꺼냈습니다.

신랑은 좋은 사람입니다. 시어머니가 좋은 분인 만큼 임자도 좋은 사람입니다. 그래서 저와 사느라 고생해 왔고, 고생하고 있습니다. 왜냐하면 제가 조울증과 망상장애를 앓는 동안 가장 많이 곁에 있던 사람이 누구였겠습니까? 그는 제가 자살 시도하는 것도 여러 번 보았습니다. 결국 그도 저로 인해 우울증이 찾아왔습니다.

어느 날부터 우리의 결혼생활은 사랑과 죄책감, 그리고 분노와 함께 달려 나가기 시작했습니다. 병원을 같이 다니며 많이 안정적으로 돌아왔지만, 그도 그의 정신건강을 위해서 저의 우울 삽화를 외면할 때가 있고, 조증 삽화를 구분하지 못해 힘들어할 때가 많습니다.

우리는 반 농담, 반 진담으로 어느 날부터 결혼생활의 졸업을 정해두었습니다. 아이가 커서 우리를 이해하는 나이까지. 우리는 최소 그 기간을 17년으로 잡았습니다. 그렇다고 17년이 끝나면 바로 헤어져서 살자는 건 아니고, '졸업을 정하자'고 한 순간 서로에 대한 배려가 시작되었다는 이야기를 하고 싶은 것입니다.

가끔 다른 사람은 몰라도 배우자가 작은 실수를 하면 화가 몇 배로 날 때가 있는데, 저는 그 이유를 나름대로 찾아보았습니다. 이 사람은 과거에도 그랬고, 지금도 그렇고, 고칠 생각이 없어 보이고, 저는 이 사람과 평생을 함께 해야 한다는 데서 오는 분노입니다. 하지만 저는 남들과 다르게 '작은 분노'조차도 힘듭니다. 그래서 어느 날 기분이 아주 좋을 때 남편에게 말했습니다.

"우리 17년만 더 같이 살자. 그리고 같이 졸업하자."

처음에는 당황하시더니, 저의 설명을 듣고 이해하셨습니다.

"우리가 재계약(?)을 해도 좋고, 한 건물에 세대를 나누어 살지도 정하자. 방을 나눠도 좋고, 하저는 작업실로 써도 좋고."

즐겁게 커피 한잔하면서 웃으며 나눈 이야기입니다. 신랑이 말했습니다.

"이게 결혼기념일 아침에 웃으며 나눌 대화냐. 푸하하"

우리는 뭐 그렇습니다. 오늘 저녁도 사이좋게 술 한잔할 예정입니다. 누가 보면 이상하다고 할 수 있지만, 우리는 그로 인해 서로를 존중하게 되어가고 있다는 이야기입니다. 또 그 덕분에 남편 없이 노년을 벌어먹고 살기 위한 저의 식물 공부도 계속되고 있습니다.

"17년 뒤에도 예쁘면 제가 먹여 살려줄게."

하고 농담을 주고받는 아침.

마음 한편에는 늙어 죽을 때는 누군가의 아내가 아니라, '나'로 죽고 싶어서 하는 이야기들.

열네 번째 내원

소설에 이어 오는 대설이었습니다.

날씨처럼 우울이 저를 시리게 했습니다. 몸에 벌레가 기어 다니는 기분과 청소를 해야 할 것 같은 강박, 사람과 대화가 어려워지고 울음이 쏟아져 나오는 하루. 비정상적인 구매 욕구의 증가, 행복한 상황에서도 지속되는 불안함. CES-D, STAI-X-I, STAI-X-II 검사 결과, 첫 내원했을 때보다 긴장도와 우울감이 증가했습니다. 결국 경조증 삽화로 추정되어 약물을 변경했습니다.

증상이 궁금해서 진단서를 떼어 보았습니다. 상태가 궁금해서 검사 결과도 부탁드렸습니다. 받아 놓고 가방 안에 넣어두고 읽지 않고 있습니다. 아르바이트에 일찍 출근해서 노래를 틀어놓고 화로 청소나 열심히 해야겠습니다. 그 뒤에 읽어야겠습니다.

내원 후 처방전이 바뀌었습니다. 데파코트가 250mg에서 500mg으로 두 배나 증가했습니다. 질병분류기호 F319. 저는 F319입니다.

분노는 정말 질척하고 끈적거립니다. 아무리 기분 좋은 행동을 해도 이건 계속 목구멍에서 올라올 뿐입니다. 소리라도 시원하게 지르면 좋겠지만 그럴 수 있는 환경이 아닙니다. 센스는 타고나야 합니다. 센스가 없는 사람은 평범한 사람에게는 그냥 한숨거리지만 저에게는 제일 싫어하는 끔찍한 분노를 유발합니다. 물건을 다 던지고 부수고 싶습니다. 그냥 죽어서 편해지고 싶습니다. 혼자 있고 싶습니다. 너무 화가 나면 눈에서 용암이 나오듯 눈시울이 뜨끈해집니다. 이를 꽉 다물며 빠득빠득 소리를 내며 갑니다. 저는 미친 사람이라 화도 못 냅니다. 미쳐서 화난 줄 알지 않겠습니까? 세상, 거지 같은 세상, 다시 좀 안 태어나고 싶습니다.

보여주기식 행복도 지칩니다. 선생님! 행복하다 행복하다 하면 행복해지는 거 아니었습니까? 그냥 잠시뿐인 분노인데 멈출 수가 없습니다. 가슴께로 내려가는 식도에 끈적거리는 분노만 걸려있습니다.

이 글을 왜 적었냐 하면, 그냥 별 일 아닌데 화가 치솟아서 제 자신을 가라앉히기 위해서입니다. 이 글을 적는 자신에게 화가 납니다. 선생님께 죄송합니다.

분노 조절이 너무 어려울 때는 저녁 약을 좀 일찍 먹어보기로 했습니다. 하루 종일 화가 나 있다가 약을 먹고 진정되니 뒤통수와 목덜미가 아팠습니다. 드라마에서 괜히 목덜미를 잡고 쓰러지는 게 아니었습니다. 기분은 행복한데, 머리는 계속 어제에 살고 있습니다. 움직여야 하는데 모든 게 귀찮습니다.

"움직여. 움직여. 움직여. 너 할 거 많아. 더럽게 많아. 움직여." 제 자신을 채찍질합니다.

최근 내원했을 때 선생님이 현재 긴장도가 너무 높아 공황이 올 수 있으니 대비하라고 하셨습니다. "공황이 뭔데요? 저는 그런 적 없는데. 아니 사실 공황이 뭔지 모르겠어요."

저번에 시야를 뇌가 못 쫓아갔던 증세가 공황 상태로 의심된다고 하셨습니다. 아침에 아이를 등원시켜야 하는데, 무기력하게 누워있으니 미칠 것 같았습니다. 세탁기 안에 빨래도 개야 하고, 오늘은 월요일이니 알바도 가야 했습니다. 평범하게 하는 일들이었지만, 빨리 해야 할 것 같았습니다. 목구멍 아래까지 심장이 올라와 뛰는 기분이었습니다. 메슥거리기까지 했습니다. 기분은 좋은데, 몸 상태가 안 좋았습니다.

억지로 일어나 보니 아니나 다를까, 또 싱크가 맞지 않았습니다. 아, 이게 공황이구나. 기장님(의사 선생님)이 말씀하신 게 맞았습니다.

"비행기가 흔들릴 예정이니 충격에 대비하세요."

공황이었습니다. 아아- 공황. 망할. 공황발작으로 살아가는 모든 분들께 존경을 표합니다.

다행히 글 작성 이후로 포함해서 공황이 세 번 이상 찾아오진 않았습니다. 현재 작성 시점으로는 글쓰기 수업을 갔다가 한 번 더 찾아왔습니다. 알바를 일찍 마치고 헬스장에 샤워하러 갔습니다. 심장이 너무 빨리 뛰는 것 같아서 무서워서 스핀 바이크에서 내려오고, 집에 와서 뻗어있는데 누워 있어도 심장이 귀에서 뛰는 것 같았습니다. 아이를 데리러 갈 시간이 한 시간 넘게 남았는데도 불안했습니다. 불안해서 잠이 오지 않았습니다. 하원 시간에 맞춰 알림이 울리자 심장이 터질 것 같았습니다.

보도블록이 트레드밀처럼 느껴졌습니다. 걷고 있는데 느낌이 너무 이상했습니다. 선생님 앞에서 아무렇지도 않은 척 웃고 아이를 안아 들며 미안하지만 오늘은 비가 와서 다른 데 가지 말고 바로 집으로 가자고 달랬습니다. 아이는 말을 잘 들어주었습니다. 살 것 같았습니다. 집에 오자마자 갑자기 음식들을 마구 주워 먹고 싶은 충동이 들었습니다. 잠시 진정시킬 겸 기록을 했습니다.

화가 나거나, 충동이 들 때 주체가 안 되는데 저녁 약들을 먹으니 진정이 됩니다. 나른하긴 하더라도 진정된다는 것 자체가 저에게는 안심입니다. 약을 먹어볼 생각을 여태껏 안 했다는 게 멍청합니다.

앞 전 약이 남은 걸 소진시키느라 데파코트가 250mg이었습니다. 오늘부터 데파코트가 250mg에서 500mg으로 늘어납니다. 변화가 있는지 기록을 시작했습니다.

모든 의욕이 없고 몸살 기운이 있었습니다. 너무 졸렸습니다. 쉬고 싶었습니다. 할 게 많은데 하고 싶지 않아졌고, 좋아하는 게 많았는데 순식간에 좋아하는 것들이 다 귀찮아지고, 다 집어치우고 싶어졌습니다.

이에 대해 말하자 친구는 "네가 좋아했던 것들이라는 사실만 껍질처럼 퍼석거리는 마음이지 않을까?"라고 추측했습니다. 껍질은 그대로인데 밟으면 말 그대로 퍼석하고 망가질 수도 있습니다. 그렇게 망가뜨린 게 꽤 됩니다. 나 자신이 다시 돌아오기를 기다리려고 합니다. 입에 쿠키도 넣고 좋아하는 것들을 꺼내서 기분을 끌어올리려는 노력으로 권태로움은 좀 벗어났습니다.

열다섯 번째 내원

약을 바꾼 뒤 설사가 계속되었습니다. 은근히 스트레스였는데, 제가 복용하는 약과는 관련이 없다고 해서 내과를 가봐야 할 듯합니다. 이런 사소한 증상도 관련 있는지 물어봐야 해서 늘 죄송합니다. 선생님은 친절하시지만요.

의욕 저하라고 설명드렸는데, 알고 보니 우울증 처방약을 빼서 조절 중이라 조증 삽화만 잡아둔 상태고 우울증 증상이 갑자기 나타나서 당황스러운 거라고 하셨습니다. 감정이 고양되고 충동 억제가 힘들 때보단 나은데, 아이를 데리러 어린이집 가는 것조차 겨우겨우 해내고 있다고 말씀드렸더니 기분 조절 보조제를 추가해 주셨습니다. 보조제로도 안 되면 다시 우울증 조절제를 추가해야 할 것 같다고 하셨습니다.

"환자분은 지금 우울증 상태예요."

"그렇군요. 계속 이렇게 해야 하나요?"

"우울증 약을 추가하면, 조울증 상태가 되죠."

"푸하하. 미치겠네요."

"조울증을 잡으려면, 우울증 약을 빼야 하고요."

"쉬운 게 없네요."

"그렇죠."

선생님은 조금 더 내원을 앞당기는 건 어떠냐고 하셨지만, 저는 약이 바뀌는 것도 사실 두려웠습니다. 손가락 한마디도 안 되는 것이 사람을 들었다 놨다 하는 것 자체가 신경질이 났습니다.

간호사분들이 알약 개수를 세네 번씩 헤아리는 것을 기다리며.

원래는 죽고 나면 수목장이 하고 싶었습니다. 그런데 죽고 나서 그게 무슨 소용이야? 꼬리에 꼬리를 물고 별의별 생각을 다 했었습니다. 그리고 우울삽화 시작 때쯤에 찾아오는 투신충동에 어느 날 생각이 들었습니다. 의도가 좋지는 않아도, 제가 장기기증 신청을 하면 내 성격에 절대 내 몸을 훼손시키진 않을 거야. 저는 그랬다.

고민하다가 장기기증을 드디어 했습니다. 하고 나니까 후련합니다. 언젠간 제 몸이 도움되게 할게요. 운동도 해두고요. 마음이 좋아졌습니다. 이유 없이 지쳐있던 어느 날.

무기력합니다. 잠만 자고 싶습니다. 힘듭니다.

추가된 약이 효과가 있었습니다. 기분이 많이 올라왔습니다.

장기기증 우편물이 왔습니다.

스티커도 왔습니다. 후련했습니다. 신분증과 폰 케이스 여기저기 붙였습니다.

몸은 힘들지만 기분 좋던 어느 날.

한동안 기록을 하지 않았습니다. 기록을 할 것이 없었다는 것이 맞을 것입니다. 요즘 기분은 정말로 아무렇지도 않습니다. 기분이 좋지도 않고 나쁘지도 않은 상태인데, 저는 이것이 처음인지 오래되어서 기억이 안 떠오르는 건지 몰라도 표현방법을 찾다가 '평온하다'는 단어를 붙였습니다. 고요하고 잔잔한. 지금 바뀐 약이 '사회적 기준'으로, 제게 잘 맞는 것 같았습니다. 그래서 기쁘냐 하면 그 '기쁜' 감정도 없습니다. 단지 '조금 슬픈' 느낌만 있습니다. 감정을 전부 잃은 사람 같았습니다. 술을 마시면 잠시 슬퍼집니다. 하지만 평소에 있어왔던 슬픔과는 결이 완전히 다르다. 평소에 다른 사람들은 항상 이런 기분으로 살아가겠구나. 감정은 들지 않지만 안타까운 것은 눈을 바라볼 때마다 느껴지던 기쁨과 감동이 없습니다. 이렇게 펑펑 오면 아름답다고 느꼈는데, 이틀 내내 생각이 '눈이 내리는구나.'가 끝이었습니다.

아이와 만들어둔 집 앞 눈사람을 누군가가 부셨습니다. 너무 속상했습니다. 그런데 이 말을 할 사람이 없다는 사실에 눈물이 왈칵 나왔습니다. 요즘 온몸이 아프다. 쉬고만 싶습니다. 하지만 쉴 수 없습니다. 약은 결국 경조증삽화만 잡고 우울감은 잡지 못했습니다. 결국 우울삽화가 시작되고야 말았습니다.

열여섯 번째 내원

잘 맞는 약이라는 게 있네요.

이번 약은 우울한 채로 즐거운 감정들을 없애주었습니다. 이렇게 아무 감정 없이 살아가는 것이 맞는 건가 고민되었습니다. 무기력함이 찾아와 내내 누워만 있었습니다. 씻지도 않았습니다. 나 자신이 싫었습니다. 다 버리고 어디론가 떠나고 싶었습니다.

꼬박꼬박 쓰던 브런치 글도 건너뛰었습니다. 상태가 너무 안 좋은데, 어디다가 말할 곳이 없어서 더 답답했습니다. 오후가 되니 좋아졌습니다. 3일 정도 상태가 안 좋았던 것 같았습니다.

아무 곳에도 말 못 했는데, 안 먹은 약이 한 달 치 정도가 있습니다. 구체적인 계획에는 이 녀석이 포함되었었습니다. 한 달 치의 약을 털어먹고 끝낼까 고민했었습니다. 이제는 이 녀석을 소진해서 없애고, 선생님께도 사실대로 말할까 합니다.

약을 며칠째 안 먹었더니 몸살처럼 며칠 내내 아팠습니다. 잠이 끝없이 왔고, 우울 증세가 바로 찾아왔습니다. 하루 종일 잠만 오고 온몸이 피곤했습니다. 무엇을 해도 기쁘지 않고 슬펐습니다. 웃긴 것은 겉으로는 티가 하나도 나지 않았다는 것입니다. 아무도 제가 물속에서 겨우 허덕거리고 있는 걸 눈치채지 못했습니다.

거의 일주일 동안 연재를 못 했습니다. 글을 써도 지워버렸습니다. 바쁘고 정신없고, 아파서 일주일 넘게 약을 잊고 지냈습니다. 이번 약은 너무 잘 맞아서 감정들이 싹 사라졌었습니다. 기쁜 일에도 기쁘지 않고 슬픈 일에도 슬프지 않아서 좋았습니다. 결핍조차 느껴지지 않아 좋은 약이었던 만큼, 안 먹었을 때의 반작용이 심했습니다. '영화 <이퀼리브리엄>에 나오는 약이 이런 약인가? 실제로 있는 약이었구나.' 이런 생각을 할 정도였습니다. 3일 차가 되자 우울이 쏟아져 나왔습니다. 병든 정신에서 나오는 글자들은 악취가 났습니다. 혼자 침잠하고 있었지만, 아무도 눈치채지 못했습니다. 몸살처럼 아파왔습니다. 부를 부모는 없었습니다. 부를 수 없는 형제들은 있었습니다. 불러도 나를 이해하지 못하는 식구들은 제가 단순한 몸살인 줄로만 압니다. 그것이 편하기도 하고 끔찍하기도 합니다.

명절 전날, 친구들을 만나고 돌아오는 길에 친구에게 별 사진을 찍어서 보내겠다고 시청 앞 바닥에 누웠습니다. 너무 추웠습니다. 선생님께서 술을 마시지 말라고 한 이유를 알 것 같았습니다. 저는 그대로 차가운 바닥에서 죽고 싶었습니다.

설날 당일에는 본의 아니게 끌려 나갔다가, 집으로 돌아와 할 일을 한 뒤로 잠만 잤습니다. 물을 빨아들인 해면 같아서 움직일 수 없었고, 구부정한 몸뚱이에 숨이 얕게 쉬어져 점점 턱까지 차오르는 기분이었습니다. 그러다 까무룩 잠이 들면 이불과 저는 융합되어 같이 무겁게 흐느적거렸습니다. 그래서 뒤척거리지도 못했습니다.

꿈에서 저는 이름 모를 노래에 맞춰 지휘를 하다가, 나풀거리는 옷을 입고 신나게 뛰다가, 이유도 모른 채 짐승의 목을 조르다가, 약을 털어먹고 죽었습니다. 너무 가만히 있어서 몸 한쪽이 아파와 그제야 몸을 움직이면 여기저기서 우두둑 소리가 났습니다. 웃기게도 그 동작이 개운했습니다. 이틀 간 씻지도 않았습니다.

움직이게 한 건 친구의 카톡이었습니다. 명절 인사들 사이에 네가 행복하기를 바란다는 카톡이었습니다. 연락을 받고 드라마틱하게 움직인 건 아니었습니다. 그냥 드디어 빼먹었던 약을 먹었습니다. 오늘 아르바이트를 잘 다녀왔습니다. 미루어왔던 아이의 방과 남편의 방 위치를 바꾸었습니다. 글을 쓰고 다시 약을 먹을 것입니다. 약을 먹고 2일 차에 금방 몸이 돌아오고 있습니다. 빈대 잡으려다 초가삼간을 다 태운다는 말이 이상하게 자꾸 떠오릅니다. 경조증을 잡기 위해 내 정신을 다 불태우는 기분입니다. 무기력함이 늪처럼 나를 잡아당깁니다.

사전연명치료의향서

의식이 없을 때 효과가 있다는 설명을 들었습니다. 종이는 반질반질하고 주황색이 섞여 살구빛이라 불러야 맞습니다. 예쁜 종이에는 이렇게 적혀있었습니다. 소리내어 읽어봤습니다.

"당신의 삶의 마무리를 생각해 본 적이 있나요?"

지하철에서 발견하고 마치 계시를 받은 신도처럼 저는 저것을 써야겠다고 생각했습니다. 홀린 듯이 찾아왔습니다. 보건소를 방문하기 전 며칠 내내 비가 와서 귀찮아 며칠 걸렸습니다. 상담사님은 다시 강조했습니다. "의식이 없을 때 효력이 있어요." 2018년에 생긴 건데 왜 저는 지금 알았을까. 존엄성에 서명하는 기분이었습니다.

시청을 좋아합니다. 도서관이 있습니다. 사전연명치료의향서를 작성하러 온 보건소도 붙어있습니다. 장기기증과 함께 신청했더니 마음의 짐이 어느 정도 덜어진 것 같았습니다. 이게 큰 효과가 없다는 것은 친구가 나중에 알려주었지만, 언젠가 내 의향을 가족들이 존중해 주길 바라는 마음이었습니다.

약을 꼬박꼬박 먹으면 문제가 없습니다. 평온한 날들이 흘러갔습니다. 정신질환을 가지고 산다는 것은 남들보다 인내심이 부족한 뇌로 태어나서 생각할 시간이 많이 필요한 일인 것 같았습니다. 똑같은 나쁜 상황에서도 이것이 내 망상장애의 문제인지, 아니면 상대방이 정말 무례한 일을 저지르는 건지 최소 하루 정도는 확인해야 합니다. 그 과정에서 분노가 식어버리기도 하고 부풀려지기도 해서 시간이 더 걸립니다.

같은 예로, 기쁜 일이 생겨도 이것이 정말 내가 기쁜 것인지 아니면 경조증 삽화가 온 것인지 고민하곤 합니다. 물건 하나를 사더라도 이게 정말 갖고 싶어서 사는 것인지, 아니면 충동 조절이 안 돼서 사는 것인지 묻습니다. 이러한 시간들이 쌓여 경험이 되면 즉각적인 반응으로 실수하는 일이 줄어드는 것 같았습니다. 아직 수련이 필요합니다.

이번 약은 적응 기간이 길지만, 효과는 매우 뛰어납니다. 저는 사회생활보다 가족 중 한 명이 제게 가장 큰 스트레스인데, 오랜만에 연락이 와서 진정이 되지 않았습니다. 눈앞이 새하얘졌는데 감당이 안 돼서 저녁 약을 바로 먹으니 진정이 되었습니다. 그것만으로도 약의 효과를 확신할 수 있었습니다. 다른 사람도 아닌 어머니였습니다.

결국 경조증 삽화가 찾아왔습니다. 어항 여과기에서 물이 떨어지는 소리가 거슬립니다. 눈을 떴는데 너무나 쌩쌩합니다. 이곳이 집임에도 저는 이 시간대에 갈 곳을 잃은 사람처럼 잠시 집안을 헤맵니다. 책을 읽고, 글을 쓰고, 가드닝을 해서 몸을 피로하게 해 보아도 잠은 오지 않습니다.

양극성 장애는 조울증입니다. 조울증에서 경조증 삽화가 위험한 이유는 몸으로 깨닫고 있습니다. 경조증 삽화가 끝나고 일상이 찾아오면 세상이 너무 재미없어집니다. 우울 삽화가 찾아오면 더 끔찍합니다. 그나마 이번에는 우울 삽화가 찾아오지 않았습니다. 불쾌한 일이 있어서 저녁 약을 일찍 먹어야 할 것 같습니다.

내원 일지를 쓴 지 1년이 지났습니다. 저보다 정신과를 오래 다니신 분들도 많다는 것을 알고 있습니다. 그런데 저처럼 정신의 병인 줄 모르고 살거나, 아직 용기가 나지 않아 병원을 가지 못하는 분들을 위해 계속 써 내려갑니다. 반복되는 이야기라 읽고 계신 분들께 괜히 죄송하기도 합니다. 내 인생에 드라마틱한 변화 없이 죽고 싶은 날들, 괜찮아진 날들, 그저 반복할 뿐인 지루한 이야기일 것 같아서입니다. 하지만 저는 살아있노라고, 살아갈 것이라고, 여기까지 읽어준 당신도 힘내라고 써봅니다.

공황

그때 제 상태는 정말 좋지 않았어요. 언제였는지 기억도 나지 않습니다. 정신과 내원을 미루다가 결국 다녀왔습니다. 시청 앞 바닥에 누워 그대로 잠들어 죽으려 한 뒤로 큰 변화가 생겼습니다. 저는 다시 출발하고 있습니다. 많이 밝아졌고, 억지로 밝아진 것도 아닙니다. 제 문장들은 다 이렇게 두서가 없네요. 저는 우울하지만 행복한 사람이라 모순덩어리니까요. 글도 그렇지 않겠어요?

인생을 좀 더 단순하게 살아보려 합니다. 친구가 요즘 저를 보고 "단순한 게 아니라 무책임한 거 아니야?" 할 정도로 단순해지려 노력 중입니다.

여태껏 너무 책임지려고만 했어요. 모든 것이 다 내 탓 같았고, 내 뇌가 이렇게 된 것도 내가 못나서인 것 같았습니다. 과거는 슬프고, 미래는 두렵고, 나만 뒤처지고 있는 것 같고, 다른 사람은 전부 열심히 사는데 나만. 나만. 나만. 이제 제 탓하는 거 너무 싫습니다.

이제는 좀 벗어날 때가 되었지 싶습니다. 하지만 병증이 도질 때는 다시 원점으로 돌아옵니다. 끔찍하기도 합니다. 그냥 그럴 때는 이제 글로 쏟아내고 있습니다. 그리고, 이 '정신과 투병일지'를 브런치에 연재하고, 끝낼 당시만 해도 괜찮아졌다고 생각했습니다. 전철도 잘 탔고, 사람 많은 곳을 가도 괜찮았고, 화도 참을 줄 알게 되었습니다. '이 정도면 그래도 기특하지.' 하고 자신을 칭찬하고 있었습니다. 하지만 공황이 저를 괴롭히게 될 줄은 몰랐습니다. 다른 건 연습으로 다 할 수 있어도 공황은 연습으로 가능하지 않았습니다.

글쓰기 수업에서 여러 명이 제 글을 보고 있다고 생각하니 갑자기 누군가 제 목을 조르는 기분이 들었습니다. 공황이 찾아온 것이었습니다. 숨이 가빠지면서 가슴이 답답해졌습니다. 심장이 마구 뛰고 땀이 비 오듯이 흘렀습니다. 머릿속은 하얘지고, 손발은 얼어붙은 듯 차가워졌습니다. 시야가 좁아지고, 사방이 어둡게 느껴졌습니다.

그 순간, 모든 소리가 멀어지고 저는 고립된 듯한 느낌에 휩싸였습니다. 주변 사람들의 시선이 나를 압박하는 것만 같았고, 그 압박감은 점점 더 강해졌습니다. 마치 내가 아닌 다른 사람이 되어버린 듯, 몸은 내 통제를 벗어나 떨리기 시작했습니다. 아무리 깊게 숨을 쉬려 해도 공기는 폐에 닿지 않는 것 같았습니다. 이 모든 상황이 끝없이 이어질 것 같은 두려움이 밀려왔습니다.

시간은 느리게 흘렀고, 나는 그 순간에 갇혀 움직일 수 없었습니다. 마치 투명한 벽에 갇힌 것처럼, 세상과 단절된 채 혼자만의 공포 속에 있었습니다. 모든 것이 비현실적으로 느껴지고, 내가 지금 여기 있는 게 맞는지조차 확신할 수 없었습니다.

열여덟 번째 내원

다만, 앞서 말했던 공황 때문에 매주 수요일마다 수업시간이 힘듭니다. 심박수는 워치에서 125를 기록하며 두 시간 수업 내내 빠르게 뛰고, 손이 벌벌 떨립니다. 질문을 하거나 발표를 하려고 하면 아랫입술이 덜덜덜 떨려옵니다. 수업을 같이 듣는 분들께 공황이 있다고 미리 말씀드렸습니다. 친절하신 분들만 계셔서 다행입니다. 비대면 수업으로 참석하면 되는 거 아니냐고 생각할 수 있지만, 미련스럽게도 저는 그러고 싶지 않습니다.

오늘은 30분 일찍 내원했습니다. 제 상태는 좋았고, 별 이상이 없을 거라 믿어 의심치 않았습니다. 의사 선생님께 상황 설명과 증상 설명을 드렸습니다. 저는 단순히 제가 사람을 싫어하는 줄 알았는데, 대인기피증이었습니다. 정확한 병명은 '사회불안장애'였습니다. 낯선 사람을 만나거나 모르는 사람과 일하거나, 둥그런 공간에서 수업을 들으면 손이 벌벌 떨리고 심박수가 내려가지 않고, 구역질이 나오려 하고, 그게 다 증상이었던 거였습니다. 공황발작이 오기 직전까지 간 상태였던 것이죠. 그 후로 새벽 세 시마다 일어나서 또 집안을 빙글빙글 돌고 있었습니다.

그날 수업에서 공황이 온 순간을 다시 떠올려 봅니다. 글쓰기 수업에서 여러 명이 제 글을 보고 있다고 생각하니 갑자기 누군가 제 목을 조르는 기분이 들었습니다. 숨이 가빠지면서 가슴이 답답해졌습니다. 심장이 마구 뛰고 땀이 비 오듯이 흘렀습니다. 머릿속은 하얘지고, 손발은 얼어붙은 듯 차가워졌습니다. 시야가 좁아지고, 사방이 어둡게 느껴졌습니다. 비대면 수업으로 바꿀지 정신과 선생님과 상의했는데, 도리어 대면치료가 필요한 상황이라 사람들을 많이 만나라고 하셨습니다. 다행히 지난주 수업은 무섭고 떨렸지만 즐거웠고, 이 경험들이 쌓여서 상대방들이 내게 해를 끼치지 않는다는 기억들이 쌓여야 치료가 될 거라고 하셨습니다.

수업 전에 먹을 약들을 처방해 주셨습니다. 새벽 세시에 깨는 것을 가라앉히기 위해 수면제를 두 배로 늘리셨습니다. 사회불안장애를 약물과 병행하려면 우울증 약을 사용해야 하는데, 그러면 조울증이 발생할 수 있으니 수업에 가서 좋은 경험을 쌓고 오라고 하셨습니다. 다행히 선생님도, 함께 수업을 듣는 분들도 모두 좋은 분들이었습니다. 다행히.

제 뇌는 어디까지 고장 나 있는 걸까요? 병원에 오길 잘했다 싶습니다. 운동도 안 했다면 체력이 부족해서 수업 중에 바로 졸도하고, 다시는 사람들 앞에서 아무것도 못 하고, 새로운 사람들도 못 만났겠지요.

상상도 못 했던 병명들과 계속 만나고 있습니다. ′사회불안장애′라는 단어를 읊조리며, 참 별게 다 있구나 생각했습니다. 말로만 듣던 대인기피증이 나였구나.

남 이야기처럼.

병원에서.

중얼거렸습니다.

충동

독서율이 낮아서 독립서점과 동네책방이 힘들다는 이야기를 보고 문득 고민이 되었습니다. 내가 책을 쓸 때인가? 책을 누군가 읽어주지 않아도 괜찮지만, 그와는 다르게 어디선가 솟아오르는 사명감 같은 것이 느껴졌습니다. 이유는 모르지만 내가 해야만 할 것 같은 기분이 들었습니다. 원래 일 벌이는 게 제 '특징'이니까요. 저는 이 특징을 이용해 매거진을 만들기로 했습니다. 이리저리 헤매던 목적이 조금 분명해졌습니다.

여기저기 메일과 인스타그램 DM을 보냈지만 응답이 없었습니다. 저는 포기가 빠른 편입니다. 얼른 접고 끝낼까? 싶었지만, 그냥 블로그처럼 냅다 찾아가 볼까 하는 마음도 들었습니다. 사회불안장애가 마음에 걸렸지만, 의사 선생님께서 주셨던 대인기피증 약이 있어서 안심이 되었습니다. 낯선 사람을 만나기 한 시간 전에 먹으면 되니까요.

그래서 저는 서울로 가서 첫 책방에 들렀습니다. 안타깝게도 사장님이나 책방지기님을 뵙지 못했습니다. 그래도 한 걸음 시작했다는 것이 좋았습니다. 글을 올리고 나서는 여기저기서 연락이 그래도 오기 시작했습니다. 책방지기를 만나지 못해도 소개글만 간략하게 올리는 것이라도 할 수 있을 것 같았습니다. 매주 사람을 만날 생각을 하니 울렁거리기도 했고 설레기도 합니다. 이제부터는 이 투병일지를 일기형식으로 기록을 남겨야 할 것 같습니다. 읽으실 때 혼란스럽지 않도록 날짜와 함께 기록하겠습니다.

24년 05월 06일 월요일

　구름이 가득하고 미세분무기로 뿌린 듯한 비가 내리는 날입니다. 수면제를 두 배로 늘려주셨다고 했는데, 그 영향인지 하루 종일 졸립니다. 오늘은 어린이날 대체 공휴일이었고, 일은 바빴습니다. 새로 할 일이 생겨서인지 저는 그래도 들떠있었습니다. 욕조에서는 깜빡 졸아서 물에 얼굴을 담갔습니다. 그 정도로 졸립니다. 다음 내원할 때까지 적응하지 못하면 약을 줄여달라고 말씀드려야 할 것 같습니다.

24년 05월 07일 화요일

범죄심리학 교수인 매슈 윌리엄스의 책 《혐오의 과학》을 재미있게 읽고 있습니다. 뇌과학에 관심이 있고, 편견에 관한 내용이 궁금하시면 한 번쯤 읽어 보시기를 추천드립니다. 후성유전학 관련 책들도 정신적 질병에 관한 내용이 많습니다. 내 상태가 왜 이런지 이해까지는 아니더라도, 읽고 나면 조금은 마음이 편해집니다.

24년 05월 09일 목요일

어제는 처음으로 책방에 들러 취재를 해보았습니다. 서점지기분은 친절하셨습니다. 시간이 다 되어 수업에 가야 하는 것이 너무 아쉬울 정도였습니다.

시 쓰기 수업 전, 선생님이 처방해 주신 약을 먹었습니다. 그 약의 이름은 인데놀정10mg(프로프라놀롤염산염)입니다. 한 알을 먹고 합평이 시작되었습니다. 제가 쓴 시를 낭독했는데 끝까지 해냈고, 긴장이 풀리자 눈물이 나왔습니다. 이 눈물은 제가 원해서 흘리는 게 아니라 뇌의 이상 때문에 나오는 것인데, 남들이 보면 얼마나 징징이처럼 보일까 하는 생각이 듭니다. 의사 선생님께서는 한 알을 먹고 일반적으로 발표를 끝낼 수 있다면 좋겠지만, 그게 아니라면 두 알이 필요할 거라고 하셨습니다. 약의 부작용은 눈가의 경련입니다. 나는 울지 않으려 했으나, 경련이 일어나니 결국 눈물이 떨어졌습니다.

"이 시를 쓴 이유가 뭐예요?"

매일 안부를 묻고, 인사를 나누는 친구가 있어요. 시 쓰기 수업을 다녀오면 오늘은 어땠냐고 묻는데, 그 친구에게 주고 싶었어요.

"이것이 시라고 생각하는 이유가 뭐예요?"

제가 수업을 따라가는지 잘 모르겠어요. 제가 이해하고 있는지 잘 모르겠어요.

"잘 따라오고 있으니 다음에는 다른 방법으로 하나 더 써와요. 그리고 본인 이야기를 남들이 알아야 할 필요는 없지만, 정원 씨는 본인의 이야기를 시에 좀 더 담아봐요."

24 년 05 월 14 일 화요일

제 내면을 들여다보려는 노력을 자주 합니다. 그리고 충분히 들여다본 이후의 좋고 싫음에는 확신을 가지려 노력합니다.

황치즈약과가 좋습니다. 체중 조절을 위해 이제는 먹지 않지만, 그 샛노랗고 달콤한 것을 좋아합니다. 아이를 낳고 처음 가방 안에 제 짐만 바리바리 챙겨서 갔던 하늘공원이 좋습니다. 거기서 바다처럼 깔려있던 코스모스가 좋았습니다. 파도치던 억새가 좋았습니다. 서울역에서 집으로 돌아오기 전 마셨던 카푸치노가 좋았습니다. 하늘을 보는 걸 좋아합니다. 달 사진을 찍는 것도 좋아합니다.

싫어하는 것을 판단하기는 어렵습니다. 싫어하는 것이 없을 수는 없습니다. 가장 싫어하는 것은 '귀찮습니다'라는 말을 입 밖으로 꺼내는 것입니다. 입 밖으로 꺼내는 순간 그것이 이유가 됩니다. 나태한 것을 가장 두려워하고 싫어하기 때문에 그 말을 싫어합니다. 하지만 우울증은 사람을 나태한 사람처럼 보이게 합니다. 귀찮은 것이 아니라 '정말 아무것도 못하겠어'니까요.

사람에 대해 생각하지 않으려 노력합니다. 최대한. 사람을 어떻게 좋고 싫음으로 나누겠습니까? 사실대로 말하면, 이렇게 말하는 순간에도 싫은 사람은 있습니다. 인간은 모순 덩어리이니 이 정도는 봐주시리라 믿습니다.

선생님께 이 말씀을 미리 드리지 않았네요. 우울증이나 조울증, 각종 정신질환이 있다고 해서 그 사람이 행복하지 않으리라 생각하는 사람들이 많더군요. 저는 우울함과 행복은 별개라고 생각합니다. 우울함이 불행을 보낼 수는 있어도, 우울함 그 자체가 불행인 것은 아닌 것 같습니다. 제가 생각하는 우울이란 그렇습니다.

오만자를 채우려다가 포기하면서

원래 오만 자를 채우면 어딘가에 투고하려고 했었다. 하지만 나는 비겁하게도 칠천 자가 남은 상태에서 여기서 이야기를 쥐어짜 내는 것을 멈추기로 했다.

내 이야기는 누구도 궁금해하지 않을 것이며, 누구에게 알릴 필요성도 느끼지 못했다. 그냥 내 우울을 주렁주렁 걸어두면 누군가가 보고

"쟤도 잘 살아가는데."
"저런 애도 사는데."

이 정도만 생각했으면 좋겠다. 여기까지만 하고 싶다. 병은 지독하고, 고쳐지지 않는다. 하지만 난 오늘도 행복했고, 행복하며, 내일도 행복할 것이다.

정신질환을 앓고 있는 모두에게

오늘,

삶의 무게가 때로는 감당하기 힘들게 느껴질 때가 있습니다. 당신이 홀로 이 길을 걷고 있다고 느낄지라도, 기억하세요. 우리는 모두 이 여정의 일부입니다. 당신의 고통과 고독을 이해하고, 그 속에서 빛을 찾기를 바랍니다.

어두운 터널 속에서도 희망의 빛이 보이길, 그리고 그 빛이 당신을 따스하게 감싸주길 바랍니다. 우리의 싸움은 결코 헛되지 않으며, 우리의 작은 발걸음 하나하나가 큰 변화를 만들어낼 것입니다.

당신의 용기와 강인함을 존경하며, 당신의 오늘이 어제보다 나아지길 진심으로 바랍니다. 우리는 서로에게 힘이 될 수 있습니다. 당신이 어디에 있든, 어떤 상황에 있든, 당신은 혼자가 아닙니다.

당신과 나의 안녕을 빕니다. 함께 걸어가는 이 길 위에서, 서로의 존재를 느끼며, 따뜻한 위로와 힘을 나누기를 소망합니다.

끝으로, 당신의 모든 날이 평온하길 기원하며, 내일도 다시 일어설 용기를 가질 수 있기를 바랍니다.

안녕히, 그리고 평안히.